# LÉCHÉES, TIMBRÉES

Du même auteur :

*Silences,* nouvelles, L'instant même, 1990 (prix Adrienne-Choquette), rééd.
    1994.
*Espaces à occuper,* nouvelles, L'instant même, 1992, rééd. 1993, poche
    1999.
*Léchées, timbrées,* nouvelles, L'instant même, 1993.
*Haïr ?,* nouvelles, L'instant même, 1997.
*Les Inventés,* roman, L'instant même, 1999.
*L'est en West,* chroniques de voyage, Québec Amérique, 2002.
*J'espère que tout sera bleu,* nouvelles, Québec Amérique, 2003.
*Le tremblé du sens ; apostille aux Inventés,* essai, Trait d'union, 2003, rééd.
    VLB, 2005.

JEAN PIERRE GIRARD

# Léchées, timbrées

nouvelles

*L'instant même*

Maquette de la couverture : Anne-Marie Jacques

Photocomposition : CompoMagny enr.

Distribution pour le Québec : Diffusion Dimedia
539, boulevard Lebeau
Montréal (Québec) H4N 1S2

Distribution pour la France : Distribution du Nouveau Monde

© Les éditions de L'instant même

L'instant même
865, avenue Moncton
Québec (Québec) G1S 2Y4
info@instantmeme.com
www.instantmeme.com

Dépôt légal – Bibliothèque et Archives nationales du Québec, 2009

**Catalogage avant publication de Bibliothèque et Archives nationales du Québec et Bibliothèque et Archives Canada**

Girard, Jean Pierre, 1961-

Léchées, timbrées

Éd. originale: 1993.

ISBN 978-2-89502-280-0

I. Titre.

PS8563.I715L42 2009          C843'.54          C2009-940064-2
PS9563.I715L42 2009

L'instant même remercie le Conseil des Arts du Canada, le gouvernement du Canada (Programme d'aide au développement de l'industrie de l'édition), le gouvernement du Québec (Programme de crédit d'impôt pour l'édition de livres – Gestion SODEC) et la Société de développement des entreprises culturelles du Québec.

*À ceux qu'une certaine urgence possède,*
*et qui néanmoins consentent à ressentir*
*une virgule jusque dans leur corps.*

*À Christian Girard*

*Mon impatience, c'est peut-être ma
seule chance de vivre un peu*

Hubert AQUIN,
*Blocs erratiques.*

# I

*Quelques dièses de métal*
*dans les flancs de l'amour*

## L'Anonyme

**E**lle file sur l'autoroute Métropolitaine. Elle vient de quitter un homme. Elle est seule dans sa voiture, un peu lasse, les traits tirés, mais ça va, maintenant. Elle sourit, d'ailleurs. Elle sourit parce que c'était juste, en cette fin de nuit, tout à l'heure, dans ses bras à lui. Elle s'est progressivement apaisée – pas tout à fait, mais presque ; elle a presque oublié l'hémorragie –, elle s'est laissée descendre en cet homme avec ce longiligne accès de fureur qu'elle reconnaît d'elle-même, jusqu'au mitan de leur être un instant commun, descendre, c'est souvent ainsi qu'elle fait l'amour, après sa défaite, après la mort : elle se love dans son propre corps avec ce qui demeure de rage, de violence, d'acharnement, sous ses ongles, sans trop savoir pourquoi, sans non plus essayer de l'apprendre ni d'expliquer. Elle ne révèlerait rien, du reste, si elle se savait davantage, elle ne dirait rien parce que c'est ainsi qu'elle a besoin d'être prise, emportée, certains soirs ; elle préfère que cet homme ignore pourquoi les larmes, qu'il ne sache pas, mais qu'il la berce, cependant, qu'il soit là, qu'il persiste près d'elle, qu'il parvienne à la calmer, et l'emporte.

Juste, donc. C'est le mot qui lui vient à l'esprit. Infiniment juste, au milieu de l'orgasme, et peut-être à cause de ce pastoral débordement des sens, quand la mort a de nouveau été dissipée dans le mauve de la nuit, un rien moins évidente, ou imminente, la mort, et quand la décision a enfin été prise, aussi, la leur. Si juste, cette décision ; elle s'est tout de suite sentie apaisée, et soulagée, libre en dedans de son corps qui par à-coups tressaillait.

Elle fend Montréal en son cœur. Elle roule sur la Métropolitaine, dans l'allée centrale, à la hauteur de la sortie du boulevard Saint-Laurent, vers l'est ; elle double des véhicules, est doublée par d'autres. Elle accélère. Elle clignote pour glisser vers la voie de gauche.

Ils s'étaient donné rendez-vous. Elle devait être chez lui aux environs de minuit et ils *devaient* parler, pour de bon décider. Mais un accident de la route un peu avant qu'elle ne quitte l'hôpital. Deux femmes. Des tonneaux, de profondes entailles, des brûlures, ont dit les ambulanciers. Inconscientes toutes les deux au sortir du véhicule accidenté, inconscientes tout du long, pendant le trajet en ambulance.

L'une, sans danger : des contusions, des fractures importantes, c'est vrai, mais elle vit ; elle était au volant : le volant l'a sauvée, semble-t-il.

Tandis que l'autre.

L'autre, sur la table d'acier, passe minuit, passe l'hémorragie, sa sueur à elle, docteur infirme devant les plaies, sa rage à elle devant la volatilité de l'existence, son propre désarroi devant ce qui se disperse, les ordres aux infirmiers – trop secs, les ordres, trop rapide, le pouls –, et soudain, de nulle part jaillie mais cependant si prévisible, la plainte discontinue de l'appareil sur sa gauche, la mort plurielle, sous sa main, là, tiiiit.

Ils s'étaient donné rendez-vous. À son arrivée chez lui, il devait être trois heures du matin. Elle n'a pas dormi une seconde, mais c'est chez lui, dans ses bras, qu'elle a essayé de le faire.

Car cette nuit, quelle que soit l'heure, quelles que soient les circonstances, il leur fallait décider une bonne fois, ne plus traîner ce doute, ce possible, cette tentative, comme des boulets. Il *fallait* donc oublier jusqu'à la mort, l'hémorragie, encore, et parler, et décider.

Alors ils ont oublié, l'amour a aidé, et après l'amour, lui il s'est assoupi, mais pas elle, et après son court sommeil à lui ils ont encore parlé, et ils ont effectivement pris d'importantes décisions, mais elle, elle n'a pas dormi une seconde, elle a projeté sur le mur blanc la suite de sa vie sans dormir une seule seconde. Comme un film, mais aussi comme une pierre : sur le mur, sa vie.

C'est plein de voitures autour de sa voiture, sur l'autoroute, devant la pointe du jour. La plupart des gens sont seuls, eux aussi, dans leur véhicule, c'est triste. La chaussée est propre, sèche, mordante, le soleil matinal n'est pas encore incommodant, elle écoute Le Bigot, la voix est berçante, le commentaire parfois amusant, et la musique, surtout, la musique laisse un peu de place à l'aube, c'est bien.

Leur décision est prise, donc, ou plutôt assumée. Son état à elle, son état à lui, et leur désir, leur douleur, mais par-dessus tout leur volonté commune de ne pas adopter d'enfant, ce pari insensé de demeurer deux, puisque c'est comme ça, d'essayer, d'aller voir au bout de cette ligne-là, puisque c'est la leur, se rendre ensemble à cette extrémité-là, dévisager ce qui s'y trouve, ce qui attend précisément pour eux, leur destin, se dit-elle, et accepter l'offre de Médecine Inter, aussi. Partir. Il y a des milliers d'autres zones à éclairer, en ce monde, et la mort à panser, à faire reculer, des milliers d'autres possibilités pour qui n'enfante pas, n'est-ce pas.

Elle croit qu'il se trouve une singulière foi dans leur décision, quoi qu'on en dise, une grande confiance en quelque ailleurs, et une mise : eux-mêmes. Elle murmure : Il y a sûrement quelque chose d'autre... Mais elle n'en est pas certaine. Elle se demande lequel de Dieu ou d'Hippocrate a inventé l'autre. Ça l'amuse, cette question. Elle pourrait aller jusqu'à en parler à des collègues, tant ça l'amuse.

Le soleil est légèrement plus aveuglant, maintenant. Elle croise la sortie Pie-IX. Une voiture rouge remonte sur sa droite. Sur la banquette arrière, un bambin dans son siège de bambin. Il la regarde, la dévisage, la dépasse ; il souriait. Elle considère qu'il est bien tôt, en ce matin de semaine, pour transporter ainsi des enfants souriants sur des autoroutes. Elle croit qu'on n'a pas le choix, avec des enfants. Un jour, très tôt, on les emmène sur des autoroutes ensoleillées et les enfants sourient. Elle a reçu, aux urgences, souvent, de ces petits tas de vie accroupis sous le coude de la mort. C'est souvent arrivé.

Il est loin désormais, le gamin bien vivant de la voiture rouge. Devant les Galeries d'Anjou, son père ou sa mère – elle n'a pas remarqué l'identité du conducteur, c'est dommage ; c'est bizarre, chez ses patients elle relève toujours les détails : l'âge du plus vieux fils, une certaine coloration de la peau, une bague oubliée à un doigt ; les détails sont tout ce qui lui reste des plus mémorables opérations –, enfin, l'automobiliste, a continué vers Trois-Rivières, alors qu'elle-même a machinalement bifurqué vers l'est, la rive sud, Québec, la Gaspésie, la mer.

Après quelques secondes elle chasse la mer et elle se ressaisit juste à temps pour voir apparaître, à deux cents mètres de sa voiture, la gueule béante du tunnel Louis-Hippolyte-Lafontaine, long suppositoire de béton qui s'engouffre sous

16

le Saint-Laurent, qui déjoue bel et bien le fleuve, dans la plus parfaite obscurité, sous les algues mornes, sous la crasse des Grands Lacs, sous la saleté rejetée de l'île. Elle a demeuré sur l'île pendant son internat, mais elle n'y demeurera plus jamais ; elle préfère de loin la route, la paix, la distance entre ces points où elle vit, ces points qu'elle relie. Elle sourit à nouveau, confiante. Et c'est à ce moment qu'elle réalise d'un seul coup, sans pouvoir réprimer un hoquet d'horreur, qu'elle n'a plus de freins.

Dans l'instant, des gestes précis, vifs, incisifs. Regards dans le rétroviseur, évaluation de la circulation, des risques immédiats, clignotants d'urgence, frein à main, elle se faufile, elle évite une camionnette, elle enfonce le klaxon – on la corne férocement, aussi. Elle tente de repérer une des haltes ménagées sur la voie rapide, expressément conçues pour ce genre d'incidents, sans doute, mais ces haltes-là, ces refuges n'existent pas, ou pas encore, sur ce tronçon. Elle donne un coup de volant afin de ne pas percuter une rutilante importée, elle pense à un carambolage monstre, elle se demande vers quel hôpital les blessés seraient acheminés, elle se demande si un des observateurs en hélicoptère n'est pas, à l'instant même, le témoin impuissant du drame qu'elle s'évertue à éviter, elle se demande pour qui elle est en train de lutter, elle pénètre dans le tunnel, le poste de radio se met à crépiter, les lignes doubles sur la chaussée lui rappellent qu'il est interdit, ici, de changer de voie, elle sait qui elle aime, un homme qui parvient à la calmer, quelquefois, en l'accompagnant au crépuscule des sens, et puis n'était-elle pas absolument sereine, dans l'adret de l'orgasme, il y a quelques heures à peine, après la mort ? un tout autre monde, sereine au creux de cet homme et de leur décision sans doute bourrée de foi, mais... mais pourquoi pas un enfant ?

Il y a ce vide, dans sa tête, ce vide qui parfois l'envahit, la pousse en avant, l'oblige à courir, il est ici, dans l'habitacle, en cette seconde même, et le trou, dans sa mémoire, aussi, il est là, là. Pourquoi ne pas adopter d'enfant ?

Elle est persuadée que le camion, juste derrière elle, le camion avec des plaques de tous les pays du monde sur le radiateur, camion sans frontière, va la heurter, le crissement des pneus répercuté sans fin dans le tunnel obscur, mais le poids lourd l'évite, le chauffeur est un as, il a pu l'éviter, elle parvient enfin à la voie de droite, elle se colle le plus près possible du muret de ciment, beaucoup trop près, elle le heurte une première fois, sa voiture rebondit, et à cet instant précis elle prend conscience, dans un objet de feu intense, de ce qui est bon, de ce qu'il faut, de ce qui s'impose, de ce qu'elle doit faire, et elle heurte une seconde fois le béton, volontairement, et puis, arc-boutée sur son volant, elle persiste à crisser sur le mur, c'est difficile de tenir, mais c'est la meilleure solution, la seule, elle entend la tôle de la carrosserie sur le flanc du tunnel, quelque chose à elle qui prend du temps et qui se déchire, sur la droite, qui se fend, et elle tire de toutes ses forces sur le frein à main, elle tire. Le véhicule se stabilise.

Les klaxons sont déchaînés autour de cette femme. Le tunnel et les klaxons, dans sa tête, un enfant dans une voiture rouge, hors de danger, ça crie, dans sa tête c'est dingue.

Les automobilistes ne songent pas un seul instant qu'ils doivent peut-être la vie à cette femme assez dérangée pour ainsi détruire son propre bien, ils ne savent pas que cette femme écorche sciemment son côté parce qu'à ses yeux la déchirure s'impose. Les automobilistes ignorent, roulent, sont déjà loin, quelques-uns écoutent Le Bigot. Son cœur résonne dans le tunnel.

Dès demain, elle fera réparer sa voiture en demandant ce qui a pu se passer, en se faisant calmement expliquer tous les possibles, comment des trucs pareils peuvent-ils survenir ? en se renseignant sur l'efficacité de sa réaction, sur la pertinence de ses gestes, était-ce bien ce qu'il fallait faire ? et puis stopper au beau milieu de la circulation, dans le tunnel, s'exposer ainsi, prendre tous les risques sur soi, n'est-ce pas infiniment plus dangereux ? Mais que tenter d'autre ? Mon Dieu, qu'y avait-il d'autre à tenter ? pense-t-elle.

Autour de cette femme immobile, ça accélère, ça hurle ; le tunnel gobe tous les moteurs, tous les bruits, les multiplie.

Jamais qui que ce soit, dans les véhicules tonitruants ou ailleurs, n'apprendra que des êtres doivent la vie à ce médecin ; personne ne se doutera du cran de cette femme désormais penchée sur son volant, blottie contre un sinistre rempart de béton, à l'extrême droite du tunnel Louis-Hippolyte-Lafontaine, cette femme qui éprouve un soudain et inexplicable haut-le-cœur, le réprime tant bien que mal, avale sa salive pour vaincre la nausée, cette femme que l'on double en klaxonnant furieusement, que peut-être on déteste, contre laquelle, sans même la connaître, on vocifère, ce médecin qui, tiens, tiens donc, se met finalement à pleurer, dont les pleurs enfin libérés déposent un si juste bémol de femme troublée, tellement juste, ce bémol, sur l'intolérable cacophonie, dans cette abside de béton armé qui jouxte le ciel, qui le porte, littéralement, ce médecin sans frontière qui aime avec une indicible fureur, surtout devant la mort, pour la conjurer peut-être, elle l'ignore, cette femme superbe lentement gagnée par un frisson intact, pur, un courant glacial sous le Saint-Laurent, cette femme qui, voilà, ça y est, tremble enfin de tous ses membres, qui parvient à retirer la clef de contact, qui soupire, qui échappe un éclat de rire, et qui vomit sur son volant.

Joliette – Sainte-Élisabeth
décembre 1991 – juin 1993

## Celle qui reste

Tout ce qui meuble son souvenir, à nouveau, ce soir, c'est une petite musique, une mélodie lente et douce, battue par une phrase prononcée par un homme, une phrase sans véritable déclinaison, comme si ces mots avaient toujours occupé un certain espace en elle, et que la nuit venue, ils émergeaient à l'air libre.

Cette phrase : une hésitation à la fin, une seconde de suspension dans ses réminiscences de fausse veuve, une incertitude qu'on dirait laissée là, à escient, sous le couperet d'une mémoire sans fin, un doute qui remue et qui hante. *Viens avec moi, je pars, ici c'est fini ; pourquoi ne pas décider de...*

Puis, il s'était tu. Il avait bu un verre, un scotch, et il était rentré chez lui.

C'est le lendemain qu'elle lui avait donné une réponse. À l'époque, elle croyait devoir parler doucement pour ne pas lui faire trop de mal. *Non, je ne peux pas, pas maintenant.*

Elle pressait sa main dans les siennes en prononçant ces mots horribles. Le désir était là, pourtant, elle s'en souvient parfaitement, mais elle se figurait, et elle se figure encore, que d'insaisissables détails devaient venir d'elle, avant, avant ce départ pour de bon. Peut-être un deuil, ou alors une engelure particulière de la peine, du renoncement, de l'autonomie, de l'intégrité, de la fin, ou de la liberté, elle ne sait pas exactement, elle ne sait pas, ça. Même aujourd'hui, elle ignore ces choses.

L'homme est parti. L'homme n'est jamais revenu.

Désormais elle pense, et elle demande parfois à voix haute. *Que serait-il advenu si j'étais partie avec lui, si j'avais consenti ? Serions-nous un jour revenus, ou alors tout aurait-il été enfin définitif ?*

Elle compose, ce soir, une autre chanson : paroles et musique ; piano et voix. Elle compose vite, les mots s'alignent très vite sur la page, mais cette rapidité ne l'abuse plus : c'est seulement que ce rythme l'habite depuis toujours, que ces mots ont toujours été là, et qu'ils réclament, ce soir, de basculer du côté palpable de l'existence.

Il est lent, le rythme, lent et plutôt doux, ponctué par une même phrase qui coiffe chaque couplet. Dans quatre mois, ce sera un clip ; dans six, un tube : la locomotive de son second disque platine, c'est presque d'ores et déjà assuré.

On dira : Quelle voix ; on dira qu'elle bouge bien, on dira qu'elle est géniale.

Joliette – Sainte-Élisabeth
janvier 1992 – mai 1993

# Lestés dans le fjord

> *Il n'est pas vrai que plus on aime, mieux on comprend ; ce que l'action amoureuse obtient de moi, c'est seulement cette sagesse : que l'autre n'est pas à connaître ; son opacité n'est nullement l'écran d'un secret, mais plutôt une sorte d'évidence en laquelle s'abolit le jeu de l'apparence et de l'être.*
>
> Roland BARTHES,
> *Fragments d'un discours amoureux.*

Une douzaine de canards barbotent dans l'embouchure du Saguenay, à trente ou quarante mètres de la rive. Un faible brouillard m'empêche de bien les distinguer. Ils nagent les uns autour des autres, plongent le bec dans l'eau à peine saumâtre, s'aspergent, tournent souvent la tête vers l'est. Ils semblent guetter quelque chose, ou alors ils appréhendent l'heure prochaine, juste après le lever du soleil : ce moment de la journée où il fait le plus froid. Je lance un caillou pour les disperser. Le galet fend la mince nappe de brouillard et rebondit sur l'eau tranquille avant d'atteindre les oiseaux. Les canards prennent leur vol et le mien, une part de moi s'élève avec eux, et ça me fait du bien. Quelque part sur ma gauche, un ouaouaron souligne leur auguste envolée en lançant quelques sulfureux jabs de gorge dans l'aube, long solo plaintif style jazz'n blues from New Orleans, twenties. Complainte triste et réussie, poignante. Dans mon dos, Baie-Sainte-Catherine dort paisiblement. Mon cœur bat encore beaucoup trop vite.

Il est cinq heures vingt et une, le trois août mil neuf cent quatre-vingt-dix, le soleil perce à l'instant au confluent du Saint-Laurent et du fjord du Saguenay.

À quatre heures cinquante-huit et avec vigueur, ce matin, sur une belle roche plate de la berge, sans que mes gestes troublent le moindrement la quiétude du jour naissant et en retenant mon souffle comme pour une courte plongée en apnée, j'ai broyé la tête d'un homme. C'est le deuxième homme que je tue, la deuxième tête qui sous mes assauts éclate. Le premier était un vieillard déguisé en clown, ligoté, je ne saurai jamais pourquoi, à un fauteuil roulant ; une épave, un rebut délaissé sur le sable gris d'une autre plage, loin d'ici, une île, encore une fois l'eau, dans ma mémoire. J'avais six ou huit ans, je ne me rappelle plus très bien, je ne conserve qu'un vague souvenir, sauf le candélabre massif, l'arme à cinq branches, le métal brillant avec lequel à l'époque j'ai donné la mort en cognant sur la perruque indigo, souvent, cogner, jusqu'à ce qu'elle soit arrachée, la perruque bleue, soudain sanglante. Mais peut-être aussi, c'est possible, peut-être aussi ai-je rêvé ce premier meurtre, je ne sais plus exactement, je ne sais pas la part du rêve.

Ce matin, quoi qu'il en soit, c'est avec un gourdin que j'ai frappé, par-derrière, un grand coup, avec toute la vigueur de mon corps affolé, puis trois autres coups, au moins aussi violents, sur la tempe du corps inanimé. J'ai ensuite roulé le

24

corps jusqu'au fjord. J'ai pris bien garde aux roches tran-
chantes pour ne pas abîmer davantage le cadavre de cet
homme qui était infiniment plus que mon ami. Je peux affir-
mer que j'aimais vraiment cet homme. Un amour véritable,
à l'endroit de ce compagnon, partenaire de jeu et de plongée,
habile en surface, aventureux dans les fonds, curieux et prudent à la fois, un homme sûr en qui j'avais une totale confiance. Je l'aimais, donc, oui. Je peux, je veux le dire.

Mon cœur déjà battait trop vite.

Quand j'ai pris appui sur une petite barque de pêcheur
pour retrouver mon calme et mon sang-froid, un bras a
bougé, j'ai entendu un râle. J'ai réagi très vite. J'ai enfoncé
la tête de mon ami dans la fange sableuse de la berge. Le
corps s'est débattu. J'ai tenu bon. J'ai poussé longtemps et
fort avant qu'il ne s'immobilise.

J'ai asphyxié un homme, ce matin, mon compère, dans la
fange, après avoir répandu sa tête sur une roche. Il est mort
deux fois, cet homme, dans la douleur, les deux fois, son
corps refusait la mort, son corps gigotait quand je le main-
tenais dans la boue par les cheveux en sang, à deux mains,
et mon genou entre ses omoplates, c'était difficile, il était
robuste, tout en nœuds, si fort.

J'ai eu beaucoup de difficulté à hisser la dépouille dans
l'embarcation. Je l'ai attachée au croc de la barque au cas où
l'esquif tanguerait sur les flots, j'ai coupé le câble de
l'amarre et j'ai souqué ferme jusqu'au milieu du fjord, là où
parfois s'aventurent des bélugas solitaires si blancs, si
beaux. J'ai eu chaud, de la sueur partout, mes mains, mon
dos, mes cuisses.

J'ai fixé ma montre au poignet de mon ami, celle au
mécanisme si précis, impeccable, celle qu'il m'a offerte pour
mes vingt-trois ans, un peu après que je lui eus dit que je

plongeais, moi aussi, depuis l'adolescence, fillette éblouie dans les cinq mètres d'eau d'un lac des Laurentides. J'ai ensuite attaché autour de son cou une pile qui émettra une faible lueur pendant une centaine d'heures. J'ai lesté le corps avec deux ceintures de plomb et je l'ai largué à un peu moins d'une encablure à l'ouest de la bouée qui marque l'entrée du Saguenay. Il a coulé bien droit et rapidement, une vingtaine de mètres à peu près, je pense, mais je l'ai perdu de vue, l'eau était trop confuse, j'espère simplement avoir bien choisi l'endroit, ne surtout pas égarer le corps dans l'insondable abîme du canal naturel du Saguenay, ce serait trop bête, vraiment.

En gagnant le fond, quand l'eau trouble du fjord a inondé le cerveau encore frémissant et tiède de cet homme hors du commun, mon ami, il se sera souvenu d'elle et de moi. Tout le bien et tout le mal que nous nous sommes faits, tous les trois, depuis son apparition dans notre vie. Malgré l'eau sale et embrouillée, il se sera rappelé chaque détail avec précision, notre douleur immense, que c'était devenu impossible pour moi, c'est absolument sûr, et il m'aura approuvée, même, en gagnant le fond, il sera allé jusqu'à m'approuver.

J'ai regagné la rive. J'ai lavé la roche plate et mes mains. J'ai les bras, les genoux et les pieds mouillés de l'eau rouge du fjord.

Ce soir, je dormirai dans une auberge. Mon cœur sera enfin au repos, mon pouls normal, enfin, et paisiblement je m'assoupirai, je le sais.

Demain, très tôt, je me dirigerai vers l'ouest en voiture. Je roulerai longtemps, lentement, le long du Saguenay. Je contournerai le lac Saint-Jean par Métabetchouan et je laisserai derrière moi une cinquantaine de bourgades avant de bifurquer plein nord pour atteindre le lac Mistassini avant la nuit. Dès mon arrivée là-bas, je la détacherai. Je lui donnerai à boire et à manger. Elle sera très faible mais très soulagée de voir que c'est bel et bien moi qui reviens : elle a tellement peur de lui, maintenant, quand ils sont seuls. Elle sera heureuse de constater que je ne lui ai pas menti, que j'ai tenu ma promesse de revenir m'occuper d'elle. Elle craint encore que je puisse l'abandonner... Mais qu'elle se rassure, qu'elle se rassure donc, jamais je ne l'abandonnerai, jamais, surtout maintenant que j'ai agi.

Délicatement, en prenant soin de ne pas la meurtrir davantage, je nettoierai ses plaies. Je les panserai et elles cesseront un moment de la faire souffrir. Elle sera reconnaissante. Peut-être elle pleurera. Et elle s'endormira dans mes bras.

Mes mains, tout naturellement, exploreront alors une nouvelle fois ce corps volcanique et ce sommeil que je connais si bien, ce corps et ce sommeil que je pourrais reciter, sur lesquels j'ai tant veillé. Je murmurerai, très bas, je murmurerai que je ne pouvais pas le laisser me prendre cet amour qu'elle seule, de toute ma vie, était parvenue à me donner. Impossible, moi, de me croire digne d'un autre amour que le sien. Je m'assoupirai tout contre elle. Et à l'épicentre de la nuit, si jamais elle frémit et m'éveille, je ferai l'amour avec elle, loin au nord, à un jet d'arbalète des rives du Mistassini, si tendrement, elle et moi, elle et moi seulement, comme avant, deux failles réunies par le sceau des corps, l'amour. Nous saurons bien guérir ensemble, alors, jusqu'à ce que nos langues se rejoignent, que nos laves fusionnent, jusqu'à ce que les feux s'amoncellent dans la froidure et que le nord tremble sous nos appels conjoints vers le milieu du monde. J'irai en elle et à son tour elle viendra en moi, elle viendra du bout des doigts, les poussera loin dans ma bouche, loin partout en moi, exactement comme elle aime le faire, très profondément partout dans mon corps offert, jusqu'à me rejoindre, comme avant.

Au matin, au café, elle effleurera ma main, ses yeux seront à s'y consumer, elle fera le silence pour obtenir des nouvelles de lui, et je lui en fournirai tant que les mots voudront se répandre sur la table de frêne. Je dirai qu'il va très bien, que nous avons longuement discuté, qu'il est d'accord pour parler encore. Je dirai qu'il me manque déjà, à moi aussi, voyons, c'est tout de même mon meilleur ami. Je dirai qu'à son retour au lac, sans aucun doute, nous devrions être à nouveau heureux, tous ensemble, mais que pour cela il faut à tout prix trouver une solution, qu'il est nécessaire de nous expliquer une bonne fois, qu'elle ne peut pas nous refuser à tous les trois cette dernière chance, qu'il faut essayer encore, et puis qu'il est d'accord avec moi, d'ailleurs, et qu'il sera demain à l'embouchure du Saguenay, à nous attendre, si elle veut bien. Je dirai la vérité, ni plus ni moins.

Elle sera rassurée d'apprendre que nous nous sommes vus, que son projet de compagnie s'ébranle pour de bon, qu'il est très enthousiaste parce que persuadé cette fois d'avoir rencontré des partenaires honnêtes du côté des Caraïbes, des gens qui croient en notre trio et qui sont prêts à financer la recherche dans le fleuve. Elle me demandera s'il avait l'air fatigué, ou harassé, quel complet il portait, s'il avait pensé à lui rapporter un coquillage du sud, un seul, comme toujours, une superbe moitié d'huître, sinon rien. Je dirai bien sûr que si, il y a pensé. Je dirai qu'il m'a montré le coquillage et que c'est une des plus belles moitiés d'huître que j'aie vues de toute ma vie.

Au crépuscule, nous reviendrons vers le fleuve. Je veux faire ce long trajet de retour sous un quartier de lune, avec elle, quand elle dormira sur ma cuisse.

Pendant le voyage, le ciel se couvrira.

Nous serons à nouveau ici dans deux jours, un peu avant l'aurore, et la pluie aura commencé avant notre arrivée.

Je la ferai asseoir sur la même roche plate en lui proposant de guetter avec moi l'apparition des premières lueurs du jour, je passerai derrière elle, ses cheveux de jais dans ma main, et je l'étranglerai avec la cordelière de son vieil imper jaune. Je lesterai ensuite son corps, comme celui de l'homme, l'amant immergé, l'ami qui meurt encore, en cette seconde même, et je l'entraînerai dans une autre barque, sur les flots, loin, je ramerai.

À un peu moins d'une encablure à l'ouest de la bouée du canal, en y regardant de très près, je distinguerai vaguement la lueur de la pile attachée au cou de l'homme remarquable, car l'eau sera déjà beaucoup plus claire, bien qu'encore brouillée par je ne sais quoi, un mouvement de fond, des ordures, je ne sais quoi. Je basculerai le second corps dans le fjord, à la verticale de la petite lueur, afin qu'il rejoigne le cadavre de l'homme au crâne fracassé. Je ne prendrai pas garde aux pistes ni aux détails, je ne ferai surtout pas en sorte de me dissimuler, j'éparpillerai des tas d'indices, sûrement, mais ça n'a aucune importance, je n'ai rien à faire des indices et du style, rien à cacher, rien qui, de ma vie, ne soit ultimement transparent. Que le fjord lui-même me soit témoin.

Je regagnerai ensuite la rive.

J'attendrai l'heure d'ouverture de la poste.

J'apposerai des timbres sur une carte postale déjà prête, là, dans ma poche intérieure, je collerai la carte, du côté de l'écriture, sur un petit paquet, et j'enverrai à notre ultime amie, gîtante établie cette année au pied d'Ayers Rock, l'écarlate feu follet d'arkose qui enflamme les crépuscules australiens, je lui enverrai ce tout petit paquet qui me contiendra en entier : comment c'était devenu, pour nous, et puis le récit détaillé de ces meurtres nécessaires, l'emplacement exact des corps, et enfin une mèche de mes cheveux blonds, aussi, dans le même colis, parce que cette amie nous aime d'un amour égal, tous les trois, et que si un être humain est en mesure de comprendre ceci, si quelqu'un peut saisir au vol ce qui m'anime et néanmoins se taire, à peine bouger l'avant-bras en encaissant ma vérité, eh bien c'est elle, assurément. Elle versera les larmes que je n'aurai pas versées, cette pauvre amie, elle sera inconsolable, c'est assuré, mais tout ceci aura été tellement logique, elle comprendra.

J'appareillerai ensuite sur notre voilier. Je me serai procuré des vivres pour nous tous et pour deux journées pleines, comme si nous partions tous les trois pour une autre croisière, un paisible pique-nique en mer. Je naviguerai prudemment sous la brise, jusqu'au sanctuaire des bélugas et des rorquals communs, un peu plus haut sur le fleuve, au large de Tadoussac, au large de l'hôtel rouge où ils ont tourné *L'hôtel New Hampshire*. Je passerai deux jours entiers sur le fleuve, tous feux éteints, sciemment hors-la-loi, à essayer de capter les appels des bélugas, à essayer de surprendre les jets des baleines par-dessus la ligne des eaux, à tenter de repérer des épaulards, j'en verrai si j'ai beaucoup de veine, à décoder leurs sifflements d'amour, à les savoir en notre hommage. Je pousserai peut-être une reconnaissance en aval, jusqu'aux Escoumins, là où ensemble, tous les trois, pour la dernière fois totalement heureux, nous avons plongé. Un an dans trois jours.

Avant l'aube de ce troisième jour, je respirerai à fond l'air suspendu du golfe du Saint-Laurent puis je rebrousserai chemin, je reviendrai vers mes assassinats, à un peu moins d'une encablure à l'ouest de la bouée du fjord du Saguenay.

Une fois sur place, je ramènerai le foc, je jetterai l'ancre, j'enfilerai des chaussons, mon *wet,* des palmes, une *B. C.* et une bonbonne d'air. Je fixerai un coutelas à ma cheville droite. Je plongerai à la verticale exacte de leur aquatique tombeau, sur la lueur qui enfin sera tout à fait perceptible de la surface, éclatante, phare d'entrée de ma cité engloutie. J'irai d'abord les dévêtir en découpant leurs vêtements, puis je réunirai leurs corps nus. Ce sera difficile, mais j'y parviendrai. J'arrimerai fermement leurs chevilles au même rocher. Il a dit un jour qu'on ne trouverait pas de corail si haut dans le Saint-Laurent, beaucoup trop froid, pas assez salé, mais si jamais il s'en trouve, si par bonheur il y en a, ce sera bien sûr aux squelettes de ces pierres étranges que je les lierai : elle aime tellement la douceur visqueuse des coraux vivants, il adorait l'éclat vermeil des polypes sous les tropiques, et la dureté des récifs accumulés par les âges exerce toujours une grande fascination sur moi, je gratte les strates ; je remonte fréquemment trop tard ou trop vite, c'est stupide de prendre de tels risques pour si peu, d'ainsi tricher les paliers, mais je remonte toujours avec un morceau de corail que j'identifie et date soigneusement. J'en possède des centaines. Je suis dans chacun de ces fragments arrachés à la mer.

Je retirerai leurs ceintures. Je raclerai le fond tapissé de vie. J'accumulerai autour de leurs corps des dizaines d'oursins et d'anémones, des étoiles et des concombres de mer, des mollusques et des crustacés, je ferai en sorte que le lit du fjord soit impeccable autour de leur autel, d'une respectueuse, d'une anormale propreté. Grâce à moi, ils régneront pour un court moment sur un belvédère de vie marine, un monticule organique, battant, qu'à jamais ils me devront.

Je remonterai inonder mes pupilles dans les cascades glacées de l'aurore. Je lèverai l'ancre et puis la voile. Notre bateau dérivera vers le large. Je saurai exactement, en endossant un autre cylindre, en ajustant une dernière fois les courroies, à combien de temps j'aurai droit. Je replongerai et sans effort atteindrai le fond puisque mes propres chaînes m'y entraîneront. J'irai me lover à eux, mes fantômes, je retirerai le gros de mon attirail tout en le maintenant près de moi, et je m'enchaînerai à proximité d'eux, à la plus grosse pierre ou au corail, je verrai. Je riverai mon corps au roc, je refermerai le cadenas sur les chaînes avec une sérénité qui m'apaisera. Je libérerai la clef fixée à la petite baudruche jusque-là sanglée à moi : la clef de mes fers foncera vers la surface, hésitera quelques instants au-dessus de nous et filera vers l'estuaire, dans le sillage d'un cargo norvégien, peut-être. Je découperai mon *wet* avec mon coutelas, je m'offrirai aux dieux des mers dans toute ma nudité, moi aussi. Tout ça se fera très vite.

Ensuite, je les regarderai longtemps, eux, ligotés l'un à l'autre, nus et si puissants, se balançant doucement sans mélodie, accompagnés de temps à autre dans ce lascif adieu par quelque invertébré venu tournoyer dans leurs jambes entrelacées. Le fjord sera limpide, comme un creuset d'eau de source, c'est l'évidence, limpide : je ne perdrai rien de leur funeste tango.

Quand mon manomètre de pression indiquera la moitié, j'aspirerai une dernière immense bouffée d'air comprimé, je relâcherai ma prise sur le cylindre, je relâcherai les mâchoires pour dégager l'embout, et j'enlèverai enfin mon masque, mon masque de plongée.

Mes longs cheveux blonds jailliront dans le fjord.

Je les fixerai, eux, et je me balancerai avec eux, danse vierge et danse d'adieu, je me balancerai jusqu'à ce qu'enfin le voile noir de la nuit et de l'oubli les fasse disparaître de ma vue, jusqu'à ce que mes poumons éclatent et que je n'aie plus mal. Leurs corps inertes me verront peut-être m'agiter, s'enfuir ma vie et surgir mon âme, tout près d'eux.

Alors cette âme, j'en ai l'intime certitude, légère, gonflée, définitivement libre, s'élèvera vers la surface, filera à quelques centimètres de la crête acérée des vagues, planera loin au-dessus des imprévisibles tourbillons du fjord, quand ses eaux heurtent celles du Saint-Laurent, s'en ira touer la clef de mes fers, vers l'océan, dans le sillage du cargo norvégien. Au large de Terre-Neuve, elle sera harponnée par le Gulf Stream, saisie par une lame de fond, et emportée dans un tour complet de l'Atlantique. Elle errera des mois dans l'opacité pélagique des mers, mon âme, elle frôlera en fin d'année le cap de Bonne-Espérance et viendra définitivement s'échouer, un peu après la Noël, dans les sables des Sargasses, pour l'éternité, mon Dieu, l'éternité entière, mon âme.

Dans dix jours ou alors dans sept ans, on se décidera à draguer le fjord.

Si les chaînes ont convenablement rempli leur office, si nos spectres ont résisté à l'anonymat des cimetières marins où aboutissent et abdiquent tant de cœurs nobles et brisés, si nos dépouilles n'ont pas été attirées par les chants des sirènes qui patrouillent le gouffre abyssal du canal naturel du Saguenay, on retrouvera nos corps.

D'abord un homme et une femme, deux carcasses impeccablement récurées par les charognards marins, poncées par les écailles des milliers de poissons qui s'y seront avidement frottés, deux squelettes lisses et intacts, parfaits, enchaînés à jamais, éperdus d'amour, mes amours, eux.

Et puis, très près, un peu en retrait mais tout de même pétrifié pour de bon dans la même statue, un squelette, un témoin, les restes d'une autre femme, moi.

Tous les trois, lestés dans le fjord, chacun retenu dans les profondeurs par les chaînes rouillées et par le poids des deux autres.

Le temps et les courants froids du Labrador auront soudé nos os dans une même ossature baroque, je le veux, une semblable identité, ce sera ainsi, et personne ne pourra classer notre amour, si ce n'est les policiers en civil qui ont peur de l'eau, et les bélugas si blancs, si beaux, qui rôdent dans ces eaux à longueur d'année, les bélugas dont nous serons devenus les divinités.

J'espère que l'èau sera claire.

Joliette – Sainte-Élisabeth
novembre 1991 – avril 1993

*Je ne peux quand même pas lui dire*

Tenue de me taire, à partir de ce matin et pour toujours, en quittant la cale du bateau de ce père. Une faute, un silence et un secret que dès hier je devinais, auxquels je me condamnais, en le précédant gaiement dans cet escalier escarpé, en empruntant dans le mauvais sens cet escalier, je le ressentais en moi, je le savais, l'essentiel de mon corps mentait, j'avais l'air heureuse en dévalant ces marches étroites, mais tout tanguait autour et en moi, hier, au moment de m'étendre sur cette couchette, de m'offrir, quand ce père que je connais à peine, ce père déjà trop vieux, s'est étendu sur moi, avec mille précautions, a posé ses mains sur mes côtes, a caressé mon ventre et mes cheveux, a écarté mes jambes, finalement m'a prise.

Il n'y avait rien à voir par le hublot de cette cale, aucune étoile, pas le moindre opuscule de galaxie, trop noir, trop bref, hier, rien.

Et désormais, à partir de ce matin, c'est définitivement terminé, je suis condamnée, j'ai ce que j'ai cherché, je ne peux plus révéler quoi que ce soit, malgré la lueur de l'aube et la lumière sur les choses, malgré les crampes dans mon estomac et les goélands qui s'agrippent aux pitons rouillés.

Je ne peux plus dire à cet autre homme, celui-là que j'aime au-delà de mon être, qu'une heure sans l'apercevoir est un jeûne, deux une famine, et que le soir d'un jour sans le voir je suffoque, toute la nuit je bats des bras pour trouver mon air, que mon corps lui est voué, comme acquis, et ma langue, vaine, dans la nuit, tout mon suc, inutile aussi. Je ne peux pas le lui dire, ce jeune homme serait trop intimidé, soudain, tout fébrile, trop vulnérable, il ne saurait que répondre, ses yeux de mer chercheraient le sel dans les miens, il voudrait rire peut-être d'une telle déclamation, mais il en serait incapable, il chuchoterait : Pas entre nous, voyons... Ce n'est pas possible..., et déjà je m'en voudrais, je ferais des milliards de signes de la tête, je serais d'accord, je résisterais au désir de lui effleurer le bras, je dirais très vite : Tu as raison... Tu as raison, pardon. Il hésiterait, il se retournerait, il se faufilerait vers les docks, il s'éloignerait si vite soudain, marcherait si loin, je n'entendrais pas les minuscules cure-dents qui cassent en lui, j'entendrais seulement, et à peine : Nous en reparlerons demain, si tu veux... Nous... nous en reparlerons.

Je ne peux plus lui dire, aujourd'hui, que sa seule présence me prive de tout jugement, toute logique, désamorce chaque fibre de mon ambition et de ma volonté d'être autre chose, ailleurs, sans lui. Je ne peux pas lui révéler que je ne sais même plus me toucher, que je ne me rejoins plus qu'à moitié, dans la hâte, et que j'éprouve chaque fois la singulière angoisse de le tromper, lui, quand je laisse par dépit mes mains parcourir mon corps : l'impression de saloper son bien, ou alors de lui causer un irréparable préjudice, sans qu'il l'apprenne jamais, sans qu'il se doute de la manière, sans qu'il se doute que son corps tellement plus jeune et vigoureux que le mien, de tout son poids, son corps sur mon

corps, chaque nuit, torride, torride et faux. Et jamais de véritable honte, jamais, dans ma tête, à chaque union inventée,
mais le feu à mes larmes, oui, constamment, une poursuite,
toujours ce brasier, et je demeure pétrifiée au pied de son
absence, je suis, et je demeure. Je ne peux pas lui apprendre
que son rire me cloue, m'immole, fixe dans leurs cristaux
chacun des pores de ma peau, ne surtout pas lui confier que
je suis prête à tout, cependant, pour lui, pour le subir à mes
côtés, dans la plus parfaite, la plus abjecte vassalité, ne pas
lui avouer que j'annulerais dès cette minute mon existence
pour témoigner de ses sarcasmes et de ses haines, ou de son
indifférence, s'il le fallait, que je saurais cent mille fois me
damner et me perdre, en finir avec la vie, aussi, si ce n'était
que de ça, pour étayer son désir, si au moins il le formulait,
s'il me laissait croire que demain. Je ne peux pas lui dire à
quel point il m'exauce, m'honore, me brime et me sanctifie,
de jour en jour encore et encore, à chaque regard davantage,
percée, mes lèvres granuleuses un peu plus béantes, que je
ne me perçois plus, ne me contrôle plus, que je n'en éprouve
plus aucune envie, que de la retenue et de la fierté j'ai perdu
jusqu'à l'alphabet, que j'ai déjà commis pour lui, à cause de
lui, tant de parjures et de conquêtes dont j'ai certaines nuits
si honte, qui font si mal à ma chair. Ne pas lui dire qu'aux
aurores je l'épie, et que tout le jour je le suis à la trace, s'il
s'éloigne : il aurait infiniment peur de moi, si je lui apprenais
ces choses, infiniment peur de ce qu'il comprendrait dans un
éclair trop ardent que je suis disposée, résolue, à entre-
prendre pour lui ; il saisirait un peu de la folie, de la douleur
qui me traverse, me gruge, et il saurait d'un seul coup,
comme une révélation divine, qu'il n'existe aucune fin à
cette douleur-là, qu'elle gît désormais en moi, figée, une
glaise très dure, ma douleur, qu'elle fait partie de moi,

qu'elle me définit, sans aucun baume possible, même pas peut-être celui de sa fièvre à lui, aucun baume. Et ne pas lui dire que rien, sur cette terre ou dans les cieux, jamais, rien ne s'élèvera entre lui et moi. Jamais !

Tenue de me taire, à partir de ce matin, parce qu'en vertu de cette faute que je savais faute avant de la commettre, je ne peux plus lui dire à quel point il est si simplement beau, si exactement mien, ou combien ma peur est immense, le long de ces quais où je marche, ce matin, dévorée par la certitude que personne ne m'empêchera de m'accrocher à lui, jamais, même pas lui, même pas moi, même pas ces autres hommes que je laisserai m'aimer, et que rien, surtout pas l'amour, ne viendra nous séparer. Je ne peux rien à nous. Et tous les autres pères de tous les autres fils, et tous les autres fils de tous les autres pères, seront des boutoirs, des queues qui enfonceront plus profondément en moi son image à lui.

J'ai peur, je crains mes certitudes, ce béton dans mon âme, ces pics rocheux.

Oui, pour l'éternité me taire, à partir de ce matin, parce que je ne peux pas dire à ce trop jeune homme qu'hier, dans la cale injustement noire d'un voilier en rade qui tanguait tellement trop, j'ai fait l'amour avec le père uniquement parce que lui, le fils, le fils m'obsède, non, je ne peux pas le lui dire, ça m'est impossible, je préfère le vol des goélands, les docks déserts, la rouille des quais, la nuit qui remplira d'étoupe mes failles et les siennes, la nuit qui viendra.

Joliette – Sainte-Élisabeth
novembre 1991 – août 1993

## L'ordre des choses

Soigneusement disposés sur une corde à linge tendue entre le coin de la maison et celui de la remise, ses bas à lui, orteils vers le haut. D'abord, tous les blancs, puis les lignés, suivis des unis (des couleurs différentes, du pâle au foncé). Une épingle de bois pour chacun. Ensuite, ses bas à elle, tous, de nylon à ceux en coton, les blancs d'abord. Puis, ses sous-vêtements à lui, en commençant par les blancs, mais il n'y en a que deux, et puis les couleurs pâles, suivies des foncées. Plus loin, ses dessous à elle, de facture classique pour la plupart, mais quelques exotiques, aussi, affriolants. Ensuite les chemises, les blouses, les pulls, les pantalons, ses jupes. Tous les vêtements sont secs ; aucun n'a été lavé. Elle veut seulement les aérer. Cette magnifique journée de printemps est un cadeau du ciel ; on dirait une vie nouvelle, une naissance. Les vêtements sont dans des malles, elle les sort lentement, un à un, elle n'est pas pressée, elle épingle. La journée est ensoleillée. Le vent bientôt redoublera.

Dans la maison, sur le vaisselier, plusieurs albums de photos achetés en solde. Puis, d'autres albums, plus luxueux, moins nombreux, tous marron, offerts par sa mère à lui. Tout est là. Son enfance à lui, avant ses dix ans, dans le premier et le second album. Dans le troisième, son enfance à elle, avant ses dix ans. Le quatrième est leur premier commun. Des jeux d'enfants, des sorties au camp d'été, leurs parents, des amis qui vieillissent. Dans un autre album, ses exploits à lui, ses récitals à elle, et dans les suivants, tout le long du vaisselier, leur vie : leurs fréquentations, leurs premières vacances seuls, leur premier animal domestique, leurs fiançailles, leur première voiture, leurs épousailles, leurs secondes vacances, les anniversaires, le premier enfant, le deuxième. Elle a tourné les pages de chaque album, cette nuit, après avoir doucement enlevé la poussière sur chacun d'eux ; un chiffon doux et sec pour ne rien abîmer.

Tous les murs de la maison sont nus. Les aquarelles, les affiches pelliculées, les toiles, les drapeaux, le tableau des messages, les calendriers sont dans le placard de l'entrée, logés pour économiser l'espace. Les deux téléphones sont débranchés, rangés dans leur boîte d'origine, instructions incluses, évidemment, elle ne jette rien. Même chose pour l'amplificateur, le récepteur AM/FM, la platine, tout. Seul le téléviseur n'est pas dans sa boîte : trop lourd pour elle. Tous les appareils plus petits (mélangeur, humidificateur, radio-réveil, etc.) sont dans des sacs bruns, doubles, parce que les boîtes ont été utilisées pour emballer des cadeaux. Les sacs eux-mêmes sont rangés dans de plus grosses boîtes. Les bibelots et autres décorations fragiles sont soigneusement enveloppés dans du papier journal, disposés dans des cartons à poignées solides.

Dans la chambre, à l'étage, dans une boîte de métal fleurie, très chère, achetée dans une boutique de la rue Saint-Denis, elle s'en souvient bien, il y a les cartes qu'il lui a offertes. D'abord celles en noir et blanc, qu'elle aime tant, et puis celles en couleurs. Pour chaque paquet, d'abord les cartes avec son écriture à lui, des souhaits uniques, juste pour elle, et ensuite les autres, parfois avec seulement un « Je t'aime », et signées, et enfin les pires, les laides, celles avec un message imprimé, ces cartes-là qu'elle déteste. Emprisonnées par un élastique, toutes les cartes postales, par ordre alphabétique du pays d'où elles proviennent, y compris celles qu'ils s'envoyaient eux-mêmes de l'étranger, ils pariaient qu'ils arriveraient avant leurs cartes, souvent ils gagnaient.

Sur les étagères de gauche de la salle de travail, au rez-de-chaussée, les notes de cours, selon les années et les diplômes, puis les revues spécialisées, dans des boîtes fermées, étiquetées, et enfin les livres, classés d'abord par sujet (géographie, photographie, histoire, le reste), ensuite par ordre alphabétique des auteurs. Sur les étagères de droite, onze étagères, quelques recueils de poésie, des dizaines de romans, des nouvelles, une trentaine de pièces de théâtre, tout ça classé par nationalité des auteurs d'abord, ensuite selon l'année de parution.

Sur la solide table de billard, au sous-sol, deux piles distinctes : tous leurs manteaux. Ceux de printemps (très légers, la plupart imperméables), ceux d'été (en coton ou en toile), ceux d'automne (cuir, daim, vestons doublés, de si riches couleurs) et ceux d'hiver (des anoraks lourds et chauds pour se promener ensemble à moins trente, sous le vent). Les bottes suivent.

Étalés sur le plancher de béton du sous-sol, leurs équipements sportifs. Ses bâtons de golf à lui, ses raquettes (tennis, squash, badminton, racquet-ball ; dans l'ordre de grandeur des paniers), ses ballons (football, soccer, de plage, etc. ; des plus petits aux plus grands), ses souliers (à crampons, de gymnase, etc.), des balles, des accessoires, rangés par ordre d'usage, selon la saison. Puis, ses souliers de marche à elle, ses mocassins, ses skis de randonnée, le reste. Tout est aligné sur une ligne tracée à la craie sur le béton gris.

Dans le congélateur de la chambre froide, en haut et à gauche, dans un bac, trois paquets de cubes de bœuf, un rôti, deux poulets, quelques tartes de sa mère à elle, du pain, des petits fours qu'il adorait ; elle s'est mise très tard à la cuisine, mais elle aime beaucoup. Dans le fond du congélateur, à droite, son corps à lui, dépecé. D'abord les pieds, au fond, ensuite les bras et les mains, dans l'autre sens, à côté des dix doigts bien alignés dans deux boîtes de sardines. Au-dessus, les jambes, l'une coupée juste sous le genou, l'autre exactement sur la rotule, dommage, mais il se débattait encore, puis un gros morceau, le torse, tout près de la tête rasée. Dans un premier *Tupperware* scellé, les cheveux ; dans un second, les ongles. Dans un gros sac en plastique épais, à gauche, toujours dans le fond du congélateur, les viscères, organes, tripes et autres restants mous, baignant dans un lac de sang gelé.

Joliette – Sainte-Élisabeth
février – décembre 1992

## À *tout prix, tu sais*

Chicoutimi, 93-09-22. Tu as les cheveux châtains, tu mesures cinq pieds dix pouces, à peu près. Je suis blonde, pas très grande, plus vieille que toi, l'air emmanché, un peu surfaite, tu aimes. Tu chuchotes : « Ioumaine. Voulnérable, yé dirais. Bella. Ah, et pouis, yé sais pas..., éscouzez-moi », avec un accent déglingué, bien embêtée de dire lequel, te l'ai pas demandé, m'en fichais, tu me vouvoyais, crétin, « Le plusse-plusse crétin que je connaisse », j'ai dit, tu as ri longtemps et fort. Mirabel, l'aéroport, le quatorze septembre 1990, avant les rénovations rococo. Le comptoir du bar aux sièges que tu tenais tant à voir orangés, je ne me rappelle plus son nom, ni la vraie couleur des sièges, mais le parfum du cognac, si, et le tabac, et puis la tienne, bien sûr, d'odeur, tu dois bien te rappeler, moi, les odeurs, comme ça importe. Entre nous, après ton rire, tout de suite, des gages : tu me plaisais, alors mon lourd foulard noir, glissé dans ton sac ; je te plaisais, alors ton blouson que je ne pouvais quand même pas prendre avec moi, tu me l'as offert, tu étais fou, j'ai accepté ton pendentif. Tu aimes les pleurs des aéroports, les départs et les spaghetti même sauce trop tomate. Le vin, aussi. Sec. Tu détestes les machines à boules et le Concorde : tout faux. Je suis ta

43

dernière image du Québec, la seule qui peut-être aura compté pendant au moins trois ans, tu l'as dit, jusqu'à ton retour, tu l'as répété, tu devais revenir au plus tard trois ans plus tard, alors tu dois être là, maintenant, je ne sais pas pourquoi, franchement, tu tenais tant à ce retour, mais sûrement t'es revenu, et tu lis ceci, je le crois. Alors l'amour, toi et moi, vers dix-huit heures, le quatorze septembre 1990, tu t'en souviendras aussi, l'amour, dans les toilettes des hommes, à Mirabel, près de la chapelle, au deuxième étage, de longues secondes de va, de vient, dans les franges des moteurs des transcontinentaux. Plus tard en soirée, tu t'envolais pour Amman après escale à New York par le vol 268 de Royal Jordania, et moi pour Paris avec Air Transat, une heure après toi, au moins une heure, ç'a été terrible tu sais, attendre seule, ainsi, après ton départ, cette heure oblongue, mon aller simple, avec ton odeur dans mes mains. Après Paris, je voulais Berlin sur le pouce, pour rien, parce que la chute du Mur, et puis revenir par mer, m'engager sur un cargo, n'importe quoi, et revenir, oui, je voulais revenir, c'était clair, tu as fait mine de t'en étonner, mais dans le fond tu t'en moquais bien, tu te foutais de tout ça, et moi aussi. Tu partais, je faisais pareil, c'est tout, c'est tout ce qui comptait, c'était fou. Ton fils est blond, comme moi, mais il a tes yeux. Il a marché tard, il a marché sur les chevilles, mais maintenant ça va. Je ne veux pas de toi, tu te rappelles, mais je voulais que tu saches, j'avais promis, j'avais dit : « Je te le jure, si jamais, je te ferai savoir, lis les journaux, dans trois ans » ; on riait de ça, toi et moi, toi surtout, parce que moi je savais que peut-être. Voilà, je te devais bien ça, je voulais que tu saches à tout prix, et c'est fait. À tout prix, tu sais, celui d'une annonce qui vaut le coût, c'est fou, comme douze trente sous en ligne dans une

*À tout prix, tu sais*

fente de pinball, trois semaines seule dans le fond d'une cale,
ton fils.

Mirabel – Sainte-Élisabeth
septembre 1990 – avril 1993

## Son enfant

La pluie sur la tôle, la nuit, le vent. Vous vous levez avec difficulté. Ça tient à des détails : vos doigts un peu gourds, une caresse sur le côté droit du bassin, un instant de déséquilibre, le bout de votre pied gauche, soudain, plus lourd, rien du tout en fait.

Vous êtes debout. Vous désirez aller à la fenêtre, prendre quelque distance, regarder d'un peu plus loin l'homme assoupi près de vous. Vous désirez traverser cette chambre d'un seul trait, et vous asseoir loin, à la fenêtre, pour de cet endroit deviner le visage, le corps de cet homme, ciselés dans la nuit, dans l'opacité de votre chambre, votre lit.

Vous êtes à la fenêtre, vous vous asseyez doucement sur la chaise en osier, ne pas qu'elle trahisse votre veille, vous croisez vos jambes nues, vous avez peut-être un peu froid, vous n'êtes pas certaine, le vent pousse sur les carreaux, vous regardez cet homme qui respire là-bas, dont vous percevez très distinctement la respiration, malgré la pluie, le vent, vous le regardez longtemps, peut-être la moitié de la nuit. Parfois vous fredonnez.

Vous ne l'aimez plus comme avant, cet homme, ce n'est plus exactement cela, ce n'est plus l'amour. L'amour est logé ailleurs, désormais, dans les gouttes sur la tôle, sur la vitre

47

près de vous, dans la musique, dans le reflet mouvant des chandelles urbaines, dans la distance éclatante entre la chaise et le lit, dans le temps consacré à regarder ; l'amour est cette lointaine lueur, cette torche résinée suspendue au-dessus de la ville, là-bas, dans la solitude insigne de votre regard, une incandescence qui vous permet de distinguer la silhouette de l'homme assoupi, et ce très léger frisson, partout sur votre corps nu, c'est aussi ça l'amour, vous en êtes sûre.

Non, non vous ne l'aimez plus. Et l'enfant que vous portez n'est pas le sien. L'enfant que vous portez est celui d'un autre homme.

Votre main se pose sur votre estomac, vous entendez le sang de l'autre homme, en cascade dans les veines bleues de votre enfant, vous frémissez, mais c'est bien, c'est choisi, c'est ainsi que les choses demandaient à être. Et tout cela est honnête, démesurément, vous en êtes convaincue. Sans doute quelque chose s'est-il rompu dans le geyser des chairs, au moment de concevoir l'enfant avec l'autre homme, ou alors un peu avant, c'est exact, mais tout était clair dès le départ, tout était bien, et assez pur, aussi, dans vos mains, quand vos paumes avalaient les omoplates de l'autre homme, un instant de paix et d'oubli pendant que son membre, dans votre levure, oui, pur, vous le croyez.

Vous vouliez la chair le temps de faire cet enfant, le temps de rugir en vous, le temps de permettre à cet homme que vous n'aimez plus tout à fait comme avant d'être enfin un père, celui de votre enfant, d'être père, de ne plus craindre lui-même son impuissance à vous emplir. Vous avez fait ce que vous saviez bon.

Non vous ne l'aimez plus. Quelque chose a peut-être cassé, à un moment, mais ça n'a plus d'importance, c'est ridicule, c'est fade et vain, l'amour était avant, l'amour était autre chose, et maintenant c'est mieux. Car cet homme qui repose là-bas, dans votre lit, au solstice de votre regard esseulé, l'homme qui respire là-bas par-dessus le vent et la ville est celui qui ne hurle pas, celui qui la nuit vous voit, celui qui vous caresse, celui qui ne vous touche et ne vous prend qu'au moment d'être certain que vous êtes là pour lui, folle, prête. Cette ombre là-bas, dans votre lit, est l'homme que vous désirez dans vos récentes ténèbres, dans l'incoercible solitude de votre maternité, et cette ombre est une présence avant d'être un homme, une présence qui ne vous menace pas, ne vous assiège pas, ne vous condamne pas. Il est, cet homme, la présence droite greffée à votre vie et à la vie de l'enfant que vous portez, votre premier, votre seul enfant, vous en possédez déjà la troublante certitude, le seul.

Il ne saura jamais, cet homme, que vous ne l'aimez plus comme avant, et que ça ne revêt aucune importance. Il n'apprendra jamais qu'il n'est pas le père qu'il croit être. Jamais vous ne le lui révélerez, car cet homme espère encore l'amour au-dessus de tout, de vous et de lui, cet homme ne voudra pas croire l'amour enfin dépassé, ne supporterait pas que vous teniez à ce point à lui sans plus l'aimer comme il croit être aimé, et que vous tenez assez à lui pour enrayer vous-même son impuissance, et le rendre père, et lui mentir, oui, vous tenez assez à lui pour assumer le mensonge, pour l'assurer que sa semence germe en vous, pour le persuader, l'enivrer, alors que tout est faux, alors que vous protégez et nourrissez la semence d'un autre, jamais vous ne révélerez cela, vous serez seule, certes, dans la vérité et le mensonge, mais vous aurez remis l'amour à sa place.

Vous ne l'aimez plus, cet homme, plus du tout comme avant, ce n'est pas ça, et c'est pourtant bien son nom qu'à l'instant vous vous plaisez à chuchoter, comme un dirigeable vissé par les hélices dans le firmament de l'amour, planté dans le ciel à l'exacte verticale de l'amour terrestre, cet homme, c'est bien lui que vous désirez dans votre vie, votre lit, lui seul, pour tourner autour du moïse de votre unique enfant, le veiller, et jamais qui que ce soit ne pourra vous trahir, vous juger vous punir, car jamais qui que ce soit n'apprendra. Vous attendrez, seule et chantante, cependant que silencieuse, au-dessus de l'amour, très haut. Ces vies sont ainsi un peu les vôtres, cet enfant est le vôtre, cet homme, le vôtre, et vos secrets.

Vous éprouvez un besoin très physique, en cette seconde, d'enfant et d'homme assoupi, de la tiédeur de leur peau, ça vous fait presque mal. Quelque chose est irrépressible, entre cet homme, si loin, endormi, et vous près de la fenêtre, ce soir, et l'enfant, sous votre paume, qui se tourne, là, maintenant, et puis le vent. Il est ainsi vrai que tout passe par votre corps, que tout pourrait vous libérer, que tout vous lie.

Dans le mouvement de votre enfant, dans l'oreille acérée du vent, un mot s'immisce alors en vous : définitif.

Vous riez.

Vous riez car bien sûr, vous n'y croyez pas, d'abord, à ce mot, mais ensuite la pluie qui tombe, et votre corps, comme un carrefour, et puis le mouvement dans vos entrailles, sous votre paume, qui persiste, qui s'installe, qui perdure, qui insiste, alors vous murmurez : définitif. Et petit à petit, sans doute grâce à l'écho furtif du mot issu de vos lèvres froides, un brouillard s'échappe de vous, prend forme près de vous, s'accroche au rebord de la fenêtre, se redresse, se profile devant la nuit, s'insère entre l'ombre et vous, à contre-jour des lueurs mourantes de la ville, vous dévisage. Un brouillard vous dévisage.

Vous vous relevez, dans l'ombre qui vous épie vous marchez, vous revenez vers un lit, vous soulevez une couverture, la pluie martèle la tôle, autour et au-dessus de vous, collée à vous, la pluie. Le corps d'un homme, avant même que vous vous allongiez, roule dans votre direction, comme si la pente du plancher de bois, vers vous.

Vous vous allongez, votre tête sur un oreiller, des bras s'ouvrent pour votre corps, l'enserrent, vous pensez dans un éclair que le mot anglais pour désigner le corps devrait être *soul,* à cause d'une syllabe qui s'attarde, qui feint l'interminable, qui ardemment le désire, à cause d'un cri.

Vous jetez un dernier regard vers la ville qui rosit, l'aube.

Une main dans un sommeil court sous des draps, se pose sur votre ventre, vous apaise.

Sainte-Marcelline – Sainte-Élisabeth
juin 1992 – Juillet 1993

# Le gant

*Mais, pour nous rassurer, nous nous sommes imaginé qu'un changement brusque est quelque chose qui se produit en dehors de la normale des choses. [...] Nous sommes incapables de concevoir que le changement brusque, radical, irrationnel, fait partie intégrante de l'existence. [....] La vie est en fait une suite de rencontres dans lesquelles chaque événement peut modifier ceux qui le suivent d'une manière totalement imprévisible et radicale.*

*— Les systèmes vivants, expliqua Arnold, ne sont pas comme les systèmes mécaniques. Ils ne sont jamais en équilibre, ils ont une instabilité structurelle. Ils peuvent paraître stables, mais ne le sont pas. Tout est mouvement, tout est changement. Dans un sens, tout est au bord de l'effondrement.*

Michael CRICHTON,
*Le Parc jurassique.*

Les routes de campagne, sous le soleil brûlant d'un été si chaud, j'adore. Sur la ligne blanche d'une route de campagne, sur la ligne de droite, avec mon tout nouveau vélo de montagne, sous le soleil brûlant de ce bel été, je roule.

Des pneus très larges, un guidon très droit, des tas de vitesses au pouce, mon cadeau d'anniversaire, je roule sur la ligne, ne la quitter ni des yeux ni des roues, rouler juste sur sa dorsale, comme une flèche, rouler sur la ligne presque effacée de ce chemin de campagne peu fréquenté, rouler sans faillir, jusque chez mon amie, lui montrer ce beau vélo tout neuf, le lui faire essayer, sûrement, et sûrement deviner chez elle une pointe d'envie, c'est vrai, mais voilà, c'est pas très grave, l'envie, c'est rien.

Exactement sur la ligne blanche, avec mon nouveau vélo.

Je ne sais pas pourquoi j'y tiens tant, à chaque fois, à cette ligne, à y demeurer, comme un défi, peut-être, un défi à moi-même, défi de rien du tout, pour me prouver que je suis capable parce que je crois que je le suis. Chaque fois, je me dis : Je vais y arriver, je vais y arriver, et chaque fois je ronge un peu d'asphalte ou de gravier, je déborde, mais c'est bien plus difficile, quand on y réfléchit, de rouler droit, de ne pas faillir, bien plus difficile de rouler droit quand on pense à le faire. Je fixe cette ligne qu'aujourd'hui, c'est merveilleux, je suis capable de suivre, et on dirait que mes bras, mes mains tremblent, veulent jaillir sur l'asphalte ou le gravier, à gauche, à droite, quitter la ligne, dévier, on dirait que c'est ça que désirent mes mains, mais je tiens bon.

Au loin, sur la chaussée, à peu près au centre de la route, presque en face de la maison de mon amie, un tout petit point noir, un morceau de carton, une feuille de tabac, un vieux sac de frites, je ne sais pas, je roule, nécessairement vers le petit point. Mon amie, elle est bizarre, elle dit que le bonheur c'est ça, des petits points, qu'il faut une loupe collée sur les lignes pour repérer nos bonheurs, sinon on les perd de vue, on roule dessus, elle est drôle cette amie, c'est chez elle que je vais.

Je change de vitesse plusieurs fois, un vallon à gravir, ce vélo est formidable, je m'approche, c'est bleu, bleu royal, le petit point noir, je veux dire, peut-être un morceau de bonheur, devient bleu très royal à mesure que je m'approche, c'est encore plus petit de plus près, on dirait. Ne pas dévier de ma ligne blanche.

C'est une mitaine, je pense, non, plutôt un gant, un minuscule gant de laine, un gant d'enfant, en plein été, sur la chaussée, c'est ridicule, ce gant, sur l'asphalte brûlant, cette araignée royale sur l'asphalte noir, en face de chez mon amie bizarre, ridicule et niaiseux, rien à voir avec le bonheur, mon amie se trompe, je m'approche encore.

Comme j'ai envie, soudain, de quitter ma ligne, envie de viser le gant.

Je me demande ce que je vais faire.

Le vent dans mes cheveux.

Je me demande si je vais continuer sur la ligne jusqu'à la hauteur de la maison de mon amie et bifurquer d'un seul coup pour pénétrer dans la cour, comme prévu, ou alors si je vais tourner dans un instant pour établir une autre ligne droite, une ligne neuve, à moi toute seule, dans ma tête, entre là où je serai dans quelques instants et la cour de la maison de mon amie, créer ainsi une autre ligne, une tangente, je crois qu'on dit, le point du milieu serait le gant, je viserais le gant et je roulerais dessus avant de continuer tout droit et de pénétrer dans la cour de la maison de mon amie, ce serait génial.

Mais je dois me décider très vite, une dizaine de poussées sur mes pédales et il sera trop tard ; je devrais alors amorcer une longue courbe pour rejoindre le gant, ma ligne ne serait plus du tout droite, ça ne vaudrait plus la peine de bifurquer, c'est maintenant que je dois me décider.

J'ai bifurqué, juste à temps, je vois le gant bleu très royal sur le milieu de la ligne qui n'existe que dans ma tête, je fonce vers lui, et un peu plus loin, au bout de ma ligne, je distingue l'entrée de cour de la maison de mon amie, je roule, dans cinq coups de pédales j'atteindrai le gant de laine qui de loin donnait l'illusion d'être un morceau de bonheur, je vise soigneusement, je tiens fermement mon guidon, j'arrête de pédaler, je continue sur mon élan, comme un bateau sur son erre d'aller, comme les ongles des morts qui continuent de pousser, je vais rouler sur le bonheur, le gant.

J'ai failli perdre l'équilibre, c'est un sale tour, oui, c'est vraiment un sale tour de mon amie, un caillou dans un gant, c'est bien son type de tour, à cette chipie, j'aurais dû me méfier, un caillou et ma roue un instant faussée, et voilà mon équilibre bel et bien rompu, et ma ligne, surtout, cassée, ma ligne à moi, j'allais si droit, j'arrivais si bien à rouler si droit, cette fois, je suis en furie, je freine, je descends de vélo, je marche avec ma colère vers le gant de laine, je vais le prendre avec moi et le rapporter à mon amie bizarre, je vais le lui jeter à la figure ou encore pire, et je vais lui dire pour ce sale tour, combien c'est dangereux, j'aurais pu me blesser, abîmer mon beau vélo de montagne tout neuf, et je ne la laisserai pas enfourcher mon cadeau, ça non, je vais tout de suite repartir chez moi, elle pourra m'envier tant qu'elle voudra.

Je prends dans ma main le gant de laine, le gant d'enfant, il est tout chaud sur l'asphalte chaud, je le soupèse, je tâte le caillou qui est mou, comment ça se fait qu'il est mou, ce caillou ? je regarde dans le gant, je le laisse retomber, je recule jusqu'à mon vélo, je l'enfourche, je pédale, un ange s'élève sur chacun de mes pieds, un enfant sans parents pousse sur chacun de mes pieds, je roule, je crois que je dépasse la maison de mon amie, je zigzague sans vouloir zigzaguer, sans un seul instant désirer zigzaguer je zigzague, le ciel est rouge, et soudain la terre.

Il y avait une main dedans le gant d'enfant, mon Dieu une main, dedans le gant.

Sainte-Élisabeth
juillet 1992 – juillet 1993

# II

*Objects in mirror are closer than they appear*

*Pourquoi, comme une gifle, chaque battement de mon cœur me tient-il en état de vigilance, en état de bataille, en état d'affrontement avec moi-même ? Pourquoi ces coups de fouet, ces brûlures, ces cris doivent-ils se poursuivre en dedans de moi-même quand tout autour dort ?*

Réjean DUCHARME,
*Le nez qui vogue.*

## Le bûcher

Calme, posée. Les yeux doux, mais légèrement maquillés ; elle a tracé elle-même, sous ses yeux, une ligne noire très dure. Elle veut son regard plus agressif, plus raide qu'il n'est en réalité. Les nerfs solides, c'est indéniable. Les doigts serrés sur le manche du couteau. Silencieuse et féline, elle avance. Elle s'approche du vieil homme par-derrière, elle prend bien garde aux brindilles sur le sol.

Il lave les carreaux d'une large fenêtre avec minutie. Il frotte avec un entrain pour le moins troublant chaque recoin difficile. Il agit avec cette précaution ferme, cette infinie douceur, cette délicatesse qui se développent en même temps que les rides, à leurs abords. Son regard porte fort loin, sur la plaine et jusqu'aux collines, loin à travers les carreaux très propres, une fois qu'il les a nettoyés. Si propres, les carreaux, qu'ils en deviennent miroirs, quand les yeux établissent eux-mêmes le point focal.

On voit loin devant et loin derrière les carreaux, grâce au travail particulièrement attentionné du vieillard. Il porte des bottes de travail, une casquette de baseball et un large froc, genre soutane. Ça surprend un peu. Ses cheveux sont sel et poivre, longs, attachés ; le ciel est immaculé.

Le vieux devrait apercevoir, par les carreaux si propres, l'ombre menaçante et résolue qui s'avance vers lui. Mais non, on dirait qu'il ne voit rien. Que les collines. Ou alors il voit très bien l'ombre, il la distingue parfaitement, et il ne s'en préoccupe pas. C'est possible.

La femme lève le bras et enfonce le couteau entre les omoplates. Elle sait y faire : elle pousse vers le bas et le fond en même temps. À la blessure, l'homme n'émet pas un seul soupir : la lame est plantée exactement là où il le fallait. On entend à peine le froissement de la longue tunique grise quand le vieux glisse doucement sur le sol. Il arrache un rideau en tombant, de sorte que le râle qu'il n'émet qu'une fois affalé par terre est dans la seconde étouffé par l'étoffe qui le recouvre et qui l'empêche de convenablement suffoquer. Il donne du pied dans la vitrine, c'est convulsif, il fracasse un carreau du bas et perd une botte.

La femme regarde le corps et commence à pleurer. Assez vite, elle distingue une de ses larmes dans un des carreaux. Du coude, elle tente d'essuyer le reflet de sa larme dans le verre. Elle gratte ensuite une allumette et l'approche de son œil droit. Ses cils se consument et crépitent sous l'effet de la flamme. Sa bouche se contracte : ça lui fait mal. Elle cesse de pleurer. Les larmes sur ses joues sèchent à la chaleur du feu. Elle laisse tomber l'allumette sur le linceul improvisé qui aussitôt s'enflamme. Le feu monte vite et haut. Le brasier est ardent et le râle étouffé du vieillard se mue en cri d'agonie.

La femme sort un mouchoir de sa poche intérieure et crache par terre, puis dans sa paume. Elle retient son souffle pour ne pas respirer l'odeur de chair calcinée. Elle essuie ses deux mains avec le mouchoir et reprend le travail sur les carreaux supérieurs, ceux que le vieux n'avait pas encore entrepris ou qu'il lui était impossible d'atteindre. Elle frotte avec une semblable minutie pendant que le râle du vieux s'éteint dans les cendres.

Pendant un court moment, même à travers les carreaux les plus propres, on perçoit mal les collines, là-bas, au loin, à cause de la fumée ocre qui se dégage du corps de l'aîné.

Sainte-Marcelline – Sainte-Élisabeth
août 1990 – mai 1993

## Barbots

*Il faut tellement de temps pour s'atteindre.*

Christian BOBIN,
*La part manquante.*

### I

C ondamné à la Beauté, en quelque sorte, puisque tu
espères tellement d'elle, que tu crois tellement en elle,
qu'elle te rassure tellement sur la validité des haies
qui te ceinturent, te protègent du sable, et t'enferment, aussi,
les haies que tu refuses d'arracher. Eh bien tant mieux, tant
mieux. Mais tout à l'heure, si tu cherches à nouveau à saisir
un morceau de monde, à l'arrêter, si tu t'échappes à nouveau
vers les glas, les morts, si tu te penches à nouveau derrière
l'église, sur les os blanchis, si tu penses aux millions de carcasses qui t'attirent vers le bas, si tu penses à moi.

Je t'imagine, ce soir, sous tes couleurs, beurré, éperdu,
affalé au troisième étage, les jambes qui pendent. Tout ce qui
enserre tes toiles te saute à la figure. Tu te demandes où tu
es, toi, si tu n'as pas trop poussé sur le cadre, si les invitations

n'étaient pas trop léchées, trop nombreuses, si les signatures des vedettes ont leur place, près des gouaches. Je t'imagine, sur le bout des nerfs, entouré d'œuvres désormais sans prix, dont tu sais seul le prix de la colère et des cartons de vente déchirés, grisonnant quincaillier égaré dans sa tête, avec Ti-Oui, avec l'ombre des trépassés qui s'extirpent des tombes, grimpent en cohorte les escaliers, t'éveillent, noient tes iris, t'obligent à voir le monde tel qu'il est, comme une huître à ouvrir, comme une lourde couverture de laine qui est bien à toi, oui, bien à toi, et qu'il importe cependant de laisser choir du tablier du pont de La Visitation.

Laisser choir.

Ouvrir la main et se départir de ce qui enfin est à soi. Et demain remettre ça : même pont vert, même rivière, mais l'eau qui a coulé, et ton regard qui diffère, et puis changer le tréteau, ou modifier les dimensions de la toile, ou renoncer au mauve, je ne sais pas. Rien à faire du Beau, rien à faire de l'à-soi. Te le dire une fois pour toutes. Ce que tu trouves beau, toi, quelle importance ? Et ce que tu es, même, et ce dont tu as tant besoin, on s'en moque. Ta vie est d'un mortel ennui, d'une insignifiance immaculée, pardonne-moi. Ce que tu peux tirer de toi, cependant, et qui peut devenir à vous, à eux, à nous des fois, ça peut-être c'est pas pareil.

La tentation du brasier, violente, dans ta main, dans le lin, partout dans l'atelier, le brasier, ce soir, être aperçu des confins du monde, et la lassitude, en même temps, dans une même seconde torride, en toi, l'extrême lassitude à l'idée du brasier.

Calme.

## II

Il n'a pas écrit. Il n'écrit pas. Il a envoyé un paquet : sa voix sur un ruban, et sa dernière toile, peinte sans hâte, presque sans sueur, « comme paisiblement, dit sa voix, y avait rien à peindre, juste un peu d'ouvrage pour balayer un carré poussiéreux ». Il avoue te sentir, maintenant, oui, finalement, te saisir, et te ressentir, surtout ça, dans ton exil, et puis voir sa vie minuscule, la voir comme elle est, comme la tienne, en somme. « C'est insupportable », dit-il, mais tu ignores s'il sait ce qu'il dit, et s'il acceptera ton doute, et puis si ce n'est pas justement le piège du mythe, encore, sous ses pieds, qui s'ouvre.

Il vient de saisir qu'il fallait cesser de mordre, ça au moins tu en es presque sûr, il vient de ressentir en son corps que peut-être c'est celui qui laisse enfin aller qui possède la seule prise, et il ne sait pas trop comment réagir : il y a si longtemps qu'il mord, et il ne veut surtout pas perdre ce à quoi il tient tant, ces petites choses qui le composent, son pays, sa France, et ses sujets, les enfants du Roy : ces êtres si chers qu'il prend pour ce qu'il est. Il vient de reconnaître la souplesse qui l'habite, comme un vieillard aphasique ayant supporté tout un été le verbiage d'un voisin de lit, un vieillard qui, au sortir de septembre, décide de retrouver, de reconnaître dans le plaignard un ami d'enfance, et voilà que des portes s'ouvrent devant le givre, et voilà les deux mondes, et voilà le regard de ton ami posé en diagonale sur la tangente des mondes, et voilà cette ligne si franche entre les deux, qui demande à être déposée là, et voilà sa main infiniment assurée qui jaillit de la pénombre, qui fend l'espace et qui tire cette ligne qui l'appelait, qu'il appelait, et voilà qu'il se veut dans le premier monde, son vrai, pour y faire son trait, sa place, sa trace, sa part.

Il se lance vers toi, comme d'un abîme, d'un vide, vers le rien : une autre talle de ténèbres.

Il vient dessiner, très près de toi, dans les airs, avec cette gouache que tu détestes, un arbre, une feuille, une maison, tant d'images éthérées de cette enfance dont il se doute bien que tu meurs, puisque tu es si loin, puisque tu as choisi d'essayer, tu ne sais trop quoi, loin de l'enfance et de lui, loin, et il croit que tu peux éviter de brailler ?

Touchant imbécile. Bel ami.

Elle est constamment saignante, ton enfance, et davantage ce soir, parce qu'il a tranché ta solitude, pris le risque d'installer ses frusques sur cette bande, cette toile : *Mon Grand Pères et mon Pères son passé*.

Ils rôderont à jamais, lui et ses fautes, dans la vallée humide où ses ancêtres labourent à bras, cette vallée si creuse, dans cette toile, dans ce passé où tu peux maintenant te garrocher, toi, ce soir et demain aussi, chaque fois que tu parieras sur la fraîcheur de la terre retournée, sur la richesse des sillons des vieux, chaque fois que tu consentiras à rejoindre les ancêtres et à l'inviter, lui, là où il hésite encore à se rendre errer, dans ce lieu à ponctuellement laisser naître entre toi, cette toile et lui (chaque jour différent, le lieu, rien pour apaiser, sauf la crainte insigne d'effectivement y mériter une place – une crainte, sous tes ongles, une seule, celle-là : que feras-tu de la place qui te revient dans ce Walhalla maudit ?). Le fond de ce tableau est un bout de monde, confusément tu le ressens, et tu ne le discerneras jamais tout à fait, ce fond, et tous les jours il bougera, ce monde, sautera d'une rive à l'autre les lits déjà sinueux de tes affluents, se moquera de toi, c'est dément, c'est ainsi, tes larmes.

Tu le remercieras pour cette toile, tu ignores encore comment, mais tu marqueras toi aussi quelque chose dans l'espace, tu sculpteras dans la paroi de pierre un cierge pour cette mémoire enfuie, tu forceras l'opacité d'une autre rame de papier, tu y plaqueras la grège lumière des mots, tu écriras longtemps, tu n'arrêteras qu'une fois rivé au mur qui ceinture les vérités, et une seconde entière ton ami sera rassuré.

Comment démordre, tu n'en sais rien, pas de recettes – l'apparemment facile d'aujourd'hui est l'impossible d'hier, cette toile si simple, devant toi « comme paisiblement » peinte, ou balayée, c'est son écriture à lui, assurément, son intransitif, si on veut, ses griffonnages, ses barbouillis, en vendant ses tuyaux d'arrosage, sa moulée, en te parlant peut-être, en organisant ses maudits « symposiums », tout se logeait dans sa tête, tout prenait forme –, comment démordre tu n'en sais rien, mais tu écriras.

« Taraude, pousse, hésite pas, enfonce. Quelque chose en toi doit casser, et si rien ne rompt, si tu restes droit, tant mieux, tant mieux, tu gagnes, mon vieux, et si ça finit par rompre, imagine, si ça rompt tu gagnes aussi, et ceux qui composent ton autour gagnent avec toi, je te jure, avoir trop peur pour eux, c'est les priver de toi. Mais si tu gagnes, si jamais tes couleurs tiennent la distance, viens pas pleurnicher, après, de constamment presque-vaincre, de n'arriver qu'à ça. L'angoisse est là, dans ce que tu parviendras presque à peindre. Restera à rentrer dans ta tête de broche, à ce moment-là, que dans les jours vert-de-gris, quand t'auras les pupilles veinées de blanc ou les paupières collées ouvertes par la peinture séchée, tu pourras tomber tant que la chute t'entraînera, je ne serai qu'à des milles, certain de ne pas intervenir, c'est vrai, mais là, toutefois, très là. Surprends-toi, te laisse pas cesser de chercher, pique tes colles dans ta jugulaire, et dès les avant-postes du confortable, prends tes pattes et fais de l'air, et quand les bégueules diront ou médiront, mets de la musique pour les enterrer, médire est le privilège des si petits, et puis splach, la toile, ailleurs, jusqu'au fond du lin. Même si tu as tort dans ta lumière vague, même si tu distingues mal le bout de ton pinceau, affirme fort : offre la lueur, arrête de te les casser pour vendre et beurre une autre toile en oubliant surtout que tu sais dessiner, en oubliant les structures auxquelles tu dois tant, en acceptant de fêler la coquille qui t'évite pourtant le crachin. En fumée, les vedettes et le Beau. En dérive, l'à-soi, mon vieux. »

## III

Au moment de parler à un artiste, au moment de dire, et même si je me trompais, et à plus forte raison si je me trompais, je voudrais qu'il me laisse croire, cet artiste, que je le connais. Qu'il me laisse essayer de le nommer et de le prendre ; jeter deux ou trois pointillés autour de sa flaque : qu'il me regarde me consumer sous l'emprise du babil en remplissant calmement mes verres avant qu'ils ne soient trop vides, en me pardonnant ce désir soudain révélé de toucher quelque chose de palpable, en se faisant oublier, surtout, et en cherchant à mon insu à me protéger la tête, moi l'épileptique.

Beaucoup plus tard, lui aussi, il pourrait essayer.

S'il était musicien ou fraudeur, il me mélodierait en doubles croches ou volerait mon âme pour la liquider dans un pays de sable en exagérant ma valeur. Et s'il était peintre, cet artiste, s'il était peintre il tenterait de me gouacher. Il dénicherait au bout de ses gaules les silences propres à me convaincre, et le bon profil, aussi ; les silences et le profil qui révéleraient un pan de moi, ceux et celui qui feraient que je daigne, cette fois-là, laisser mon image durcir, ceux et celui qui assureraient ma cécité afin que j'éprouve la sérénité passagère qui me permettrait de livrer cette image à la durée – même si je persisterais à la détester sans faillir, celle-là, sauf en quelques occasions, la nuit, pendant de brefs instants que par défaut on dira sanctifiés, à cause de tordus comme lui.

Et puis, des milliers de semonces plus tard, un soir enfin comme tous les autres, avant de regagner une étable silencieuse pour y doucement faire le train, je murmurerais que le seul moyen d'aller, pour moi, le seul de respirer, c'est de me dépasser, de me battre moi-même, de clencher. Et que pour clencher, je dois abandonner ma structure tout en misant ma peau sur une trajectoire – je dirais peut-être une démarche, même si je devinerais que le mot aurait toutes les chances de l'effrayer. Je lui dirais combien c'est à la fois facile à concevoir, s'oublier, rien d'autre n'a de valeur, et pourtant quels efforts cela exige de moi et de ceux qui persistent à graviter autour. Ce soir-là, je confierais enfin à quelqu'un que si j'accepte de me laisser dériver quelque part (je ne saurais dire où, personne ne saurait dire où le désir va faire échouer, mais dans le fond on s'en crisse, et ceux qui affirment qu'ils savent où tout ça les mène démontrent seulement qu'ils portent leur chanvre en permanence, les pauvres chéris, le fixant parfois à leur chemise avec des pines plaquées or, à cause des bourrasques, peut-être, ou de peur de perdre la tête), si je consens à jouer le jeu, je dois clencher en oubliant toutes les plogues, en oubliant les grilles qui assurent ma prise, en m'oubliant, moi, moi et les projecteurs dont j'encaisse les feux pour que rebondisse un peu de lumière sur l'inachevé, l'œuvre, et en oubliant l'autour, aussi, ce capital autour dont il fait lui-même partie, parfois, cet autour crucial dont un large morceau de moi a bien entendu désespérément besoin. Être vrai au trognon, pour moi, c'est tout ce qui compte encore un peu, et ça veut dire tout dire, ou en tout cas chercher à tout dire, accepter comme un possible de mon existence la déroutante attraction du noyau dur, tenter d'installer le dialogue entre ce noyau et moi, moi si sourd, si dur aussi, et voguer vers ce que je ne cernerai jamais qu'imparfaitement. Louvoyer franchement, en somme, sans dissimuler cette impérative dérive-là, dérive qui est ce que je suis, bien plus sûrement que tout ce que je saurai nommer, dérive redevable de la gauche, de la droite, du haut, du bas, du beau et du laid, dérive qui est moi. En fait et tellement simplement, être aujourd'hui un rien plus clair qu'hier au sujet de l'errance, ma ligne de coke à moi.

« Il faut que je renie quelque chose, que je devienne moi-même un mot parmi les autres, que constamment je casse. Et si je ne cherchais pas à tout dire, si je n'accueillais pas le principe de la rupture, si je refusais ce lent travail du ressac sur l'os, le mien, eh bien vaudrait mieux tout taire, je crois, et conspirer ma vie ailleurs, à côté de mes chairs. Il me faut renier les images anciennes, trouver la faille des nouvelles, me méfier de moi, des systèmes si logiques que je pourrais défendre si facilement, délaisser chaque jour mes yeux d'hier et démordre, surtout démordre, tu comprends ? S'agit moins d'attendre que le fruit soit mûr que d'apprendre, de moi, qu'il est là, le fruit, juste là, à cueillir. Apprendre à tendre la main vers moi, aussi, et oser le faire, bien sûr ; risquer un geste autre que ceux qui m'apaisent, et puis me reconvaincre chaque soir de la nécessité de ma plus totale, ma plus abjecte, ma plus pure disponibilité.

« Pour toi, je sais pas, peut-être ce sera pareil. Dans l'idée de faire le pont entre ce que ressent l'homme et ce que voit le peintre, un don total ou pas de don : démordre et consentir ; entendre dans ta main les cris du pinceau, être disponible aux chocs des cris, et ne pas trop chercher le bonheur dans leur éventuel écho. La poursuite du bonheur est probablement hors propos, ici, malheureusement.

« Peut-être ce sera pareil, mais je suis pas certain, tu comprends ? Vois-tu, je crois, j'en suis presque sûr, je crois qu'il te faut découvrir sans moi Rilke et tous les autres, que tu dois débusquer seul ces livres-là, qui t'attendent. »

Devenir lui-même une couleur. Je trouverais les mots pour lui proposer de rompre jusque-là.

« Mais ce soir, rien que pour moi, tu vas peindre l'horizon, d'accord ? Une toute petite toile ; que je puisse repartir avec, la glisser dans mon blouson, même si elle est pas sèche. Oui : ce soir, tu peins l'horizon, je repars avec, et tu te sens pas attaqué par les énormités que je profère, tu regardes ailleurs pendant que je te blesse, tu me laisses gagner au scrabble, aussi. »

J'éclaterais ensuite de rire. Au plus vite.

Puis, du troisième étage de l'atelier, je larguerais mon verre dans son aquarium, en me demandant comment je ferais, une nuit plus tard, pour inventer ce que la veille j'aurai probablement voulu dire, ou faire comprendre, en laissant tomber le ballon de cognac de si haut, dans l'eau de son aquarium sale, en espérant que son *Corydoras* s'y niche pour tout le temps.

Après, j'irais faire le train. Seul.

Et l'artiste, lui, il m'attendrait.

# IV

Un jour, si cela avait été possible, s'ils avaient été semblablement fous, ils auraient marché le Cordeau d'un bout à l'autre.

Sans doute ils auraient choisi l'hiver.

Ils seraient allés dans la calèche d'Hervé ou à pied, qu'importe, ils s'en seraient moqués.

Ils auraient chanté et bu, c'est à peu près certain, et peut-être un des François aurait-il été là, tout près, à veiller sur eux, avec des coussins pour protéger leur tête.

Ils auraient frappé à toutes les portes de toutes les maisons, défoncé les écluses dans les coulées, libéré tous les chiens, marché une bonne fois jusqu'au bout de ce grand rang mythique parfois si froid, pour prendre dans leurs paumes ceux qui se seraient laissé prendre, et ils auraient accepté en avalant de travers que sombrent définitivement dans les toiles de l'un ou les mots de l'autre les gardiens d'écluses, tous ceux qui n'auraient pas consenti à cesser de mordre.

Sainte-Marcelline – Sainte-Élisabeth
novembre 1990 – août 1993

## Réaction enchaînée

*Mais pendant ce temps-là,*
*grand-mère se tape la bonne,*
*en lui disant que les hommes sont menteurs.*

Jacques BREL

**D**ans *ma* voiture ? Vous êtes sûr ? Vous vous rendez compte de ce que vous dites ? Mais d'abord qui êtes-vous, vous avez une plaque d'identité, des papiers, quelque chose ?

Non mais, *ma* voiture... Vous vous rendez compte ? J'ai... j'ai beaucoup de mal à vous croire. En fait... je ne sais pas si je peux vous croire, vous comprenez ? C'est difficile.

Si vous voulez... Mais si, mais si, asseyez-vous, où ai-je la tête... pardonnez-moi.

Je le connais peu, vous savez, sinon de réputation, comme tout le monde. C'est un homme exceptionnel, mais assez effacé, n'importe qui vous le dira. J'aime bien, remarquez, ça me plaît, ça me change des ronds-de-cuir de ce torchon où je ne mets plus les pieds qu'une fois par mois : insigne liberté de la pige, même les saisons creuses, j'adore ; magie du modem, magie du fax, si vous saviez, très peu pour moi les soirées, les amitiés professionnelles, tout ça, je les encule ces ploucs, je suis comme ça.

On a échangé nos numéros il y a quelques semaines, devant des canapés exquis, je vous assure, de petites bouchées parfaitement carcérales, chez une amie commune, ou plutôt une connaissance commune, puisque la sous-ministre n'est pas une amie pour moi, et pour tout dire ce serait assez déprimant que cette truite en soit une pour lui. On a échangé nos numéros, donc, parce que nous nous embêtions semblablement devant de semblables tables garnies par vos impôts et les miens, parce qu'il voyage beaucoup et que je m'y applique aussi, parce qu'il rédige parfois des articles sur le monde agricole et que j'en signe à l'occasion sur la gestion des approvisionnements ou les accords bilatéraux, quand les bons sujets sont vraiment rares, parce que : « Ah... C'est donc vous, ça... Vraiment heureux de vous rencontrer, j'aime beaucoup votre travail... », ba ba ba, du cirage, savez ce que c'est. Sa femme l'accompagnait. Étonnant, je me rappelle, j'ai pensé, étonnant qu'il la traîne dans ces soirées alambiquées, et qu'elle veuille bien y venir, aussi ; la mienne n'en veut plus rien savoir depuis cent lunes, zieuter la tronche des grands de ce monde ne l'allume plus, la déprime, même, mais les personnages exceptionnels et effacés ne conçoivent pas l'existence comme vous et moi, c'est connu, alors leur conjoint peut-être c'est pareil, n'est-ce pas ? Rousse, sa femme à lui, si ma mémoire est bonne, et Britannique, selon toute vraisemblance, vu le : « Ponsoar, kemment-ellez vous ? », ce n'est pas de l'anglais normal, ça, vous avouerez.

Il m'appelle un mardi soir, vous le savez bien sûr, hier soir, donc, comme le temps file, c'est complètement fou, vous permettez que je commande un quatrième café ? oui, je

sais, j'abuse, mais vous m'accompagnez, n'est-ce pas ? alors
ça ira, je crois. La serveuse est délicieuse, vous verrez.

Hier soir, je décroche. « Oui, pourquoi pas, je piétinais,
justement, un article qui reste dans la main, vous connaissez
le problème... À Berthierville, si-si, deux pas... Comment ?
Au restaurant Pasca Isa ? Oui, je connais, mais... mais
écoutez, cher ami, c'est un bouge, ni plus ni moins...
Pardon ? Vous le saviez ? Ah bon... Alors d'accord, j'y serai,
excellent, vingt heures, c'est parfait. »

Il savait pour le bouge. Vous vous rendez compte ?

J'arrive avant lui. L'odeur est infecte. Je sélectionne dans
le trayon d'une pusillanime carte des vins un blanc sec qui
se digérera bien, le seul assez ample pour masquer les
effluves de friture, sentez vous-même les effluves, respirez
à fond, humez vous-même ce vin maintenant, voi-oi-là, vous
aimez ? Je demande une chandelle à la serveuse. Elle me
dévisage avant de la déposer sur la table ; elle me dévisage
si bien que je suis heureux de ne pas boire en territoire
occupé, c'est dire. Une certaine amplitude de la haine se voit
de très très loin, je vous assure, et puis, merde, je suis journaliste, faudrait pas l'oublier, ça s'appelle du flair, vous
savez... Oui, bien sûr vous savez, vous, quelle question.

Il arrive à son tour, il est entré par la même porte que
vous, évidemment. Lunettes noires, riche chapeau de feutre,
très original le chapeau, avec une petite plume d'oie, ça
m'impressionne, col relevé, il me reconnaît de loin, se dirige
vers moi, on dirait qu'il glisse sur le carrelage douteux, tout
en souplesse, c'est bien là la démarche d'un homme effacé,
me dis-je, il me secoue vigoureusement la main, mais il préfère ne pas se défaire de son couvre-chef et de son manteau,
je trouve ça paradoxal, vu la démarche nuancée et la réputation qui le précède, j'aurais cru qu'il chercherait à ne pas se

faire remarquer. De suite, je le lui dis, j'exprime clairement ma surprise et mes doutes, je suis comme ça, moi, je dis les choses. Il prend place nonchalamment. Il fait la moue.

« Vous savez, il ne faut pas toujours se fier aux apparences, cher ami... »

Ô qu'il me déplaît, ce ton, ô. Et cette moue, idem. Je me demande lesquelles, d'apparences, d'une part, vous vous en doutez, mais dans le fond ce sont les points de suspension qui me défrisent. Ça se veut langoureux, affecté, bancaire. J'abhorre. Je trinque.

Dès cet instant, aussi bien vous le dire tout de suite, il m'est apparu pathétique, pas du tout l'homme effacé que je m'étais imaginé, autrement plus torturé qu'il n'y paraissait, et peut-être cynique, voire, mais bon, ça m'allait très bien, je suppose ; les chapeaux originaux cachent toujours des histoires simples, si simples, des histoires, cependant, qu'on cherche désespérément à monter en neige, et ce labeur furieux, ce travail de bagnard sur une carcasse dès lors insignifiante me détend, m'amuse tout le temps, et j'éprouvais ce soir ce désir un rien primaire de me payer quelques rumeurs, quelques drames de facture personnelle, en sirotant, ça arrive. En général, les sagas débloquent ma prose, faut que vous le sachiez, et il y avait cet article, vous vous souvenez ? J'aurais pu traîner mon portatif, vous avez raison, vous me connaissez déjà si bien, oui, magie du portatif. J'aurais dû, en fait, mais voilà.

On se parle de rien du tout, les républiques baltes et le Japon, l'UPA, le libre-échange, l'article onze du Gatt, l'appétit des Américains et de la CEE, l'intransigeance de la France, la nécessité de supprimer dès maintenant les primes au pourcentage de gras dans notre production laitière, les risques de voir les tracteurs et les moissonneuses-batteuses bloquer la colline parlementaire, les habitudes de consommation qui changent rapidement, on n'y peut rien, il va finir par nous péter à la gueule, ce gras de lait, continuer de craindre l'Allemagne, c'est vrai, mais attention, au sud l'Espagne se lève ; ne surtout pas oublier les aficionados, ce serait une grave erreur, etc. Des trucs de cuisine, pour nous, elle est tout à fait prévisible, cette rencontre, parfaitement chiante.

Nous n'avons pas grand-chose en commun, en somme, excepté peut-être, si je mets beaucoup de volonté à dénicher une parenté, le désir un tantinet lascif d'intervenir, ici et là, et de rendre compte, aussi, mais encore : il me voit vrai, intègre (il dit : « Ah... Vous êtes vrai, vous... »), et lui faux, imposteur, à la merci d'un complexe paternel, toutes ces conneries (« Moi, je me sais faux... Et personne n'y peut quoi que ce soit... »). Je suis prodigieusement écœuré de ces confidences spontanées, de sa psychologie de ruelle, du rouge du chaperon rouge qui nécessairement appelle le sang, le sexe, le vin, vous voyez le genre ? Nous choquons nos verres.

Non mais... *Ma* voiture... C'est tout de même incroyable...

Il me remet bientôt une enveloppe pour sa femme.

Le salopard.

Épaisse, l'enveloppe, léchée bien sûr, et ostensiblement affranchie, sans aucune espèce de pudeur, prête à sortir du pays, donc, à être larguée n'importe quand de n'importe où dans le monde, mais c'est dans ma main qu'elle aboutit, et à cet instant.

Tout est là, c'est évident : il m'a eu. C'est à peine s'il ose croiser mon regard ; on dirait qu'il m'épie. C'est ma main qu'il regarde, et l'enveloppe, l'enveloppe.

L'affaire prend du relief, c'est exact, mais je n'aime pas ça du tout, moi, ça pue, cette mise en scène, je déteste les mises en scène, les complots, toute la panoplie des *gate* ; c'est tout faux, jusque dans la révélation, vous ne trouvez pas ? Et puis, j'imagine aisément les complications, les appels nocturnes, les soupçons, les joues creusées, les épaules à prêter, rien pour moi là-dedans. J'en veux de plus en plus à la sous-ministre. J'entreprends du bras droit un long mouvement circulaire au milieu duquel ma main saisit mon verre et le porte à ma bouche ; je m'envoie une gorgée d'arrière-pays et vertement je m'insurge.

« Écoutez mon vieux, non seulement je ne crois pas que ce soit une bonne idée, mais... »

Il m'interrompt sans mot dire : il se tourne vers la serveuse, commande une seconde bouteille. Ce type a des arguments.

« Même étiquette, si ça vous va toujours... », dit-il.

Après une seconde, ne sachant trop comment réagir, je relâche un peu les épaules, j'acquiesce, et je me rends rapidement compte que le consentement de mon corps est inutile, je veux dire : il ne me regarde pas, il fait sans moi, ce type. Cul sec, mon verre.

Il affirme qu'il « s'agit d'un long voyage, personne dans les amis ne comprendrait vraiment », et il lui « faudrait fournir de longues explications », et puis, il ne veut « surtout pas, surtout pas expliquer » toute sa vie ce qu'il est, ce qu'il ressent, il est même tout à fait « disposé à fuir » qui lui demandera dorénavant d'expliquer sa vie plus qu'il ne ressent le besoin de le faire, et il s'agit là, paraît-il, de mon « avantage sur tous les autres, nous ne nous connaissons pas et, dès les succulents, les divins petits canapés de la sous-ministre », il a éprouvé une « rectiligne confiance » en moi.

Et allez donc.

« Ne pas perdre cette confiance, ni la diluer, l'assombrir, je vous en prie... Je dois la quitter, vous comprenez ? Je le dois. J'ai besoin de vous... »

Il se tait d'interminables secondes ; si la conversation m'avait intéressé le moindrement, j'aurais trouvé ce silence embarrassant, j'aurais lancé : « Eh bien, vous lui annoncez que vous fichez le camp, c'est tout, mon ami, c'est pas l'enfer », mais je n'ai pas eu besoin de dire, j'ai décemment pu me taire, cette fois, car il a continué.

« Je fuis avec une autre... Oui... Voilà... Je pars... Vous savez maintenant tout, je suis nu devant vous... Et ça vaut mieux ainsi, n'est-ce pas ? »

Il ne me laisse pas répondre.

« Je vous dois la plus totale franchise. »

J'avais pour de bon décroché, inspecteur, je ne vous cacherai rien. Voilà un drame, vu le couvre-chef et la plume d'oie, qui promettait, voilà un drame résolument salopé, d'une innommable banalité, vous en conviendrez aisément, vous surtout. Désolant. Heureusement, cette seconde bouteille était... là, disons, et ma déception tout aussi grande, à oublier dans le vin, mais vous savez ce que c'est.

Parfaitement, je cite de mémoire, et alors ? Vous doutez de moi ? Dites, vous êtes gonflés, dans la police... Qu'est-ce que vous voulez que ça me fasse que vous me croyiez ou pas ?

Où en étais-je ? Oui, ma déception, merci. Ma déception qui se mue en lassitude que je voudrais courtoise et que l'expérience de la race me fait tremper dans le vin, puisqu'on ne sait jamais, ce type peut m'être utile un jour. J'ai une bonne pensée pour la rousse anglaise d'il y a un mois. Cet homme est dégueulasse, finalement, c'est tout, ce n'est pas si grave.

Un verre, très peu de mots, et il me remet une seconde enveloppe, aussi lourde en timbres que la précédente, mais à mon nom celle-là, et très mince, si mince, ça m'effraie, cette minceur ; je demeure toutefois de marbre, lointain, stoïque, vous pensez bien.

Sa « destination supposée », dit-il, et « l'adresse de quelqu'un qui de toute façon saura » où le rejoindre, « n'en surtout rien dire à sa femme, sa légitime », mais tenter de le « contacter par exemple si quelque chose tourne mal pour elle », si j'ai vent « qu'elle est en difficulté, ou n'importe quoi que vous jugerez bon », si bien sûr je consens « à garder un œil discret sur elle... S'il vous plaît... »

Des précautions courantes, je suppose, pour qui prend le maquis en catimini. Non : le maquis. Et en catimini. Oui : subrepticement. C'est la même chose.

Je sais que mon silence vaut un aval, vous pensez bien, mais je ne me rebiffe plus, ça va. Voyez-vous, je crois être une personne assez pragmatique ; garder un œil sur sa Britannique, même pour un homme démesurément fidèle comme moi, ce n'était pas une perspective ontologiquement désagréable, c'est tout. Vous voudrez bien appeler ma femme, tout à l'heure, n'est-ce pas ? Et puis, dites, sérieusement, vous me croyez, n'est-ce pas ? Pas de blague, hein ? Je crâne, je crâne, mais j'ai besoin que vous me croyiez, vous savez, je suis journaliste. Exact : phénoménale, ma mémoire, vous êtes gentil.

Encore un verre. C'est lui qui verse.

« C'est un chic restaurant, ici, dit-il, vraiment très chic... Vous n'êtes pas de cet avis ? »

Silence besogneux de ma part.

« Il est parfait, en fait, ce restaurant, si vous voulez savoir... Et vous êtes un homme intègre, aussi, je veux que vous le sachiez... »

Il ne sait décidément pas de quoi il parle, ce type, et à ce stade-ci c'est plutôt chouette. Il regarde à gauche et à droite. Il commande une troisième bouteille.

« C'est la première fois que je viens à Berthierville... Et vous ? » demande-t-il à la serveuse. Il blague avec elle ; elle se laisse doucement flirter. Le vin télégraphie des bulles dans ma tête et ma paupière gauche, très subtilement, se met à clignoter, ce qui est rarement bon signe, dirait ma femme depuis belle lurette. C'est maintenant que je devrais taper ce papier de mes deux, je le sais. Il se tourne vers moi au moment où la serveuse ouvre le vin, mais c'est elle qu'il regarde, du coin de l'œil.

« Voyez comme elle est habile... Un petit coup de poignet et c'en est fini du bouchon... »

Maquereau, va. Mais bah. Je souris, il sourit, tout le monde sourit, même la serveuse, tout à fait séduite, ou alors singulièrement expérimentée, sourit.

Il enlève son original chapeau. Il est guilleret. Il dit qu'elle – l'autre, sa maîtresse – (je pense : « la ppplantureuse rousse ») l'attend, qu'ils s'envolent ce soir même pour... (je pense : « Djakarta, hop ! ») « Mais je ne peux pas vous le dire..., vous comprenez ? » (ce que ça peut me foutre), qu'ils seront heureux (je m'en con-tre-ci-re), il en est persuadé (je, m'en, bran, le), il semble plus léger, son débit est plus lent, ses mots plus justes, on dirait, et ça, ça, j'avoue, mais c'est bien la seule chose que vous me ferez avouer, ça, ça me touche vraiment, malgré tout, je ne suis pas de pierre, merde. Journaliste.

Il baisse le collet de son manteau. Je discerne sa nuque osseuse. Après un autre silence contrit, il se lève. Je me dis que c'est pas trop tôt, je ne pouvais quand même pas ficher le camp le premier, j'ai des manières quand l'heure feint d'être grave et que du vin.

Je murmure : « Il va relever son col, je parie, et remettre son couvre-chef... » Il se retourne : « Pardon ? » Je dis : « Oh... Rien-rien, oubliez ça... » Je ravale habilement le rire qui assurément le blesserait. Il laisse quatre billets de vingt dollars et quelques sous sur la table.

« Tout est pour moi, n'insistez pas. »

Il tourne les talons. Je n'ai pas insisté.

Frôlant le comptoir, il ralentit, remet la main à sa poche, en sort un billet de semblable couleur et le dépose près de la caisse enregistreuse, la serveuse est aux cuisines, je crois. De loin, il me toise.

« Terminez la bouteille seul, si vous le voulez bien, et prenez votre temps, mais si, mais si, prenez votre temps... Et bonne chance pour cet article... »

Prendre mon temps ? Bonne idée. « Bonne chance à vous aussi... »

La porte du bouge se referme, la serveuse revient, voit le billet de vingt, me regarde, semble assez profondément déçue de l'identité de moi, celui qui est toujours là, celui qui n'est pas parti, je crois vraiment que je lui déplais, une impression comme il y en a peu. Je grommelle.

« Et bon vent, tiens, et soyez heureux, vous semblez tant y tenir... »

Je suis persuadé que je déplais souverainement à la serveuse. Je pense à la rousse de l'autre jour. Elle était jolie, si je me souviens bien, pas seulement Anglaise. Je me demande s'il s'agissait de la légitime ou de la maîtresse... Devant des canapés, ces détails sont difficiles à discerner. J'aurais dû le demander à ce type, au point où j'en suis... Quoi qu'il en soit, à la femme restante je remettrai l'enveloppe en main propre, je me le jure. Peut-être bien qu'elle sera tout à fait heureuse, elle ?

J'ai trop bu, ma femme serait formelle. La dernière bouteille allait demeurer inachevée, c'est comme ça, je veux dire, je suis comme ça, l'alcool au volant c'est criminel, à vous je ne raconterai pas de bobards là-dessus. Ma femme déteste mon métier quand il me contraint à boire ainsi, et j'ai beau lui expliquer la nécessité de l'alcool vu le genre de cinglés que je rencontre en rafale, rien n'y fait. Je ne dis pas ça pour vous, évidemment, je veux dire : cinglés. Elle doit s'inquiéter, ma femme, d'ailleurs, rappelez-moi de lui donner un coup de fil, s'il vous plaît.

Je me sentais pâteux, mais j'étais tout de même satisfait de la soirée. Presque fier, ma foi, je ne sais trop pourquoi. Ce qui venait de se produire s'était produit, voilà tout, c'était réellement arrivé, et je n'avais rien inventé. Mon portatif me manquait cruellement, cependant, c'est tout à fait exact ; l'article était dans mes doigts, vous ne pouvez pas savoir, vous, un article, là, dans les doigts, comme je le sentais bien, sauf que voilà, c'est ça mon existence, tout fuit.

« Après ce café, j'y vais, ce papier de cul pour vendredi, sale sujet mais du bon boulot, dans le fond, bien documenté, et des gens qui osent dire leur avis tout haut. Bon boulot. » C'est ce que je me suis dit. J'étais bien décidé à partir sans prendre connaissance des lettres.

La serveuse, derrière son comptoir, a alors posé un regard de vaisselle sur moi. Elle aussi croyait que j'avais trop bu. J'étais son dernier client. Il était tard. Je l'entendais soupirer. Je l'entendais me haïr.

Et puis voilà, peut-être à cause de ce regard, je me décide, j'ouvre la lettre mince qui m'est destinée.

Parti se loger une balle dans la cervelle.

Comme je vous le dis.

Il portait le .44 à la ceinture pendant toute la durée de notre rencontre, sauf à un moment, à l'ouverture de la seconde bouteille, quand il a pris le revolver dans sa main et l'a braqué vers moi, sous la table.

*Voyez comme c'est habile... Un petit coup de poignet et c'en est fini du bouchon... Vous vous souvenez, quand j'ai flirté la serveuse ? Je suis prêt à parier que vous avez souri. Vous avez bien fait, mon vieux. Si vous lisez ceci, eh bien je n'aurai pas tiré, vous comprenez ?*

Tous les détails figurent dans la lettre mince.

*Je crois vraiment que vous avez bien fait de sourire, si vous voulez mon avis.*

Tous.

*La beauté, la puissance déconcertante d'un .44... D'abord la crosse, dans la main, comme un sein, mais surtout, surtout, des balles superbes, vous savez, trois centimètres, et fendues en étoiles, les balles, patiemment, par mes soins, la nuit, en étoiles, et puis le bruit dans la petite ville, vous imaginez ? les échos de la détonation sur le fleuve, peut-être jusqu'à l'autre rive, jusqu'à Sorel, jolie ville aussi, Sorel, vous connaissez ? et vos yeux, au moment de la détonation, sur le coup ; la surprise, derrière vos verres si délicats, dans vos yeux superbes... Ah, vos yeux... Vous savez que je vous ai choisi pour vos yeux ? Oui. C'est tout ce qu'il y a de vrai.*

*Cette seconde infinie avant la douleur, disais-je, furtive seconde qui précède la douleur et le mal, et vous, fixant candidement le trou dans votre chemise, votre poitrine, cherchant à comprendre mais n'y pouvant rien de rien, mon pauvre ami, justement, rien à comprendre dans nos vies...*

*Et la grosseur du trou dans votre poitrine, certes, j'allais oublier, voyons, des balles ainsi fendues, et dans la banquette usée, derrière vous, aussi, le trou, immense, il faut savoir qu'un .44, ça fait du sacré bon travail, à cette distance ça ne pardonne pas, ça fait des trous immenses dans les poitrines ou les tempes, vous le saviez ?*

C'est écrit. Mes ongles arrachent les timbres de l'autre enveloppe, je crois. Mais je suppose que ça ne se voit pas de très loin.

*À tout prendre, même si ça n'a aucun sens, je le devine aisément, à tout prendre je crois que c'était vous ou moi, bien simplement.*

Il ne sait pas pourquoi. J'avale ma salive. J'en ai terminé avec les affranchissements.

*Pourquoi ? Je m'en fous, et vous aussi vous vous en foutez, tout le monde s'en fout... Des moments limites, peut-être, dans lesquels je n'ai rien à voir, et puis vous non plus, au fait, j'oubliais à nouveau, soyez tranquille, faites-moi ce plaisir, rassurez-vous, vous n'êtes pour absolument rien là-dedans, vous m'êtes sincèrement très sympathique, finissez doucement la troisième bouteille, prenez le vin dans votre paume, même si ça le réchauffe, essayez, une fois au moins, prenez le vin du monde dans votre paume, vous aimez le chiffre trois ?*

C'était lui ou moi.

Si je lis, c'est que c'est lui.

C'est écrit.

Je suis à Berthierville, au fort chic restaurant Pasca Isa, un bouge immonde dont chaque saleté s'incruste dans les sillons de mes mains bleues. Vous êtes avec moi, vous êtes gentil d'être venu si vite, vous êtes très très gentil, je suis sincère.

La voix d'un homme effacé résonne dans ma tête, flotte dans la bouteille inachevée d'un vin blanc très ample qui se digère bien. Je ne sais trop comment réagir, si je dois bouger ou pas, si j'ai réellement le droit de remuer un seul doigt en regard de ce que ce type manifestement sait de moi, et puis, où le chercher, qui appeler, s'il n'est pas trop tard, s'il m'en voudrait un tant soit peu, ce qu'il ferait à ma place, si l'alcool tient un rôle là-dedans, si j'ai bien lu, si j'aurais flirté la serveuse, moi, si j'aurais tiré à l'ouverture de la seconde bouteille, moi, et lequel de nous deux j'aurais laissé en vie, *c'en est fini du bouchon...*

Elles me triturent, ces questions, me travaillent beaucoup, *faites-moi ce plaisir, rassurez-vous, vous n'êtes pour rien là-dedans, vous m'êtes sincèrement très sympathique...*

Je commande un autre café. Il est minuit. J'ai plein de timbres dans les mains. Tout ça se passait hier, *vous savez que je vous ai choisi pour vos yeux ?*

Une serveuse à qui je crois déplaire souverainement, une serveuse que je fais travailler trop tard, arrive avec un café qui est à moi. Elle le dépose sur la table. À moi le café. Je crois qu'elle pose la main sur mon épaule, tendrement, j'imagine qu'elle est au courant de tout, qu'elle me plaint, vu l'angle de mon dos, courbé sur les lettres. Elle prend soin de moi, elle est si attentionnée que j'ai peur de la regarder, j'ai peur qu'elle soit infiniment rousse, cette femme.

Le café est brûlant, ça se devine à la fumée. Prenez bien garde de ne pas vous brûler la langue. Vous avez une arme, vous, inspecteur ? Ah bon ? Vous ne partez jamais sans elle ? C'est comme la réclame des cartes de crédit, alors ? Vous riez ? Vous êtes gentil.

*Je crois que vous avez bien fait de sourire, si vous voulez mon avis.*

*Réaction enchaînée*

Je ne sais pas ce qui est écrit dans la lettre épaisse. J'ai terminé de rouler les timbres en une boule grosse comme un petit pois ; je tiens la boule entre mon pouce et mon index. Je la propulse vers la baie vitrée.

Et puis, d'un seul coup, ça y est, je me décide, je cherche une pièce dans ma poche, je me rends à l'appareil téléphonique, je compose, on répond, on me renvoie à vous, je vous parle, et presque aussitôt vous arrivez, comme un ange dans ma nuit vous surgissez, vous avez fait si vite, c'est bien vous, ça, c'est gentil, et puis subitement vous déballez votre sac, vous me révélez sans prendre de gants que c'est précisément dans *ma* voiture, que *sa* cervelle sur *mon* pare-brise, *son* sang sur *mon* tableau de bord, et que... que vous me cherchiez, que ma femme est morte d'inquiétude, que mon histoire n'est pas claire... alors... alors je... je ne vous crois pas, tiens... ce... ce n'est pas possible, vous comprenez ? ce n'est pas une chose possible, dites, rappelez moi d'appeler quelqu'uu

Joliette – Sainte-Élisabeth
juillet 1991 – août 1993

## Désordre et foi

*À Amélie*

Qu'est-ce qui s'passe avec toé ? T'avais l'air bizarre à midi. J'sentais que quèque chose allait pas. Du niaisage. En tout cas tu m'perds ben raide, tu l'sé ? J'suis pas toujours capable de t'suivre, j'te comprends pas tout l'temps, j'sé pas trop trop c'qui arrive. C'est peut-être de ma faute. Si c'est ça, faut me l'dire. Mais tu parles pas, j'peux pas tout deviner non plus, c'est quoi qu'tu penses ? Si t'aimes mieux garder tout ça pour toé c'est d'tes affaires, mais ça arrange rien non plus t'sé. Des bouts, j'me sens ben coupable. Pour c'que tu m'as dit à midi. J'ai compris, t'sé, j'te parlerai plus de ça, jamais, pour te faire plaisir, anyway ça m'intéresse pas, pas vraiment, y faut qu'tu l'saches. Mais j'me dis quand même que tu frustres pour rien, pis la même chose pour moi, on est trop pareils, on frustre pour rien, c'est pour ça que des bouts ça marche pas. Aujourd'hui, c'est cool, j'étais de bonne humeur, j'étais l'fun, m'as-tu trouvée l'fun, j'veux dire, avec toé ? Pis j'comprends pas c'qui s'est passé, comment tu vois ça, j'sens que j'dépends de p'tites affaires que j'comprends pas toujours pis j'haïs ça, j'suis pas

95

capable. J'l'ai pas mal pris c'que tu m'as dit à midi, j'sé pas comment tu pensais qu'j'étais pour réagir mais j'ai eu l'impression que ça t'avait fait chier que j'aie gardé quand même le sourire quand tu m'as dit ça, anyway j'faisais pas ça pour t'écœurer, qu'est-ce que tu penses, qu'est-ce que tu veux au juste ? C'était dur de savoir à quoi tu pensais, t'sé, pis t'as fini par accoucher, par me l'dire, une chance, c'est cool. Dans l'fond, j'sé qu'tu veux m'dire aut'chose, j'sé pas trop trop quoi, mais j'imagine, mais c'est pas grave, ça. Faut continuer à s'parler. C'est l'fun c'que tu m'as dit en fin de semaine à propos d'toé. J'étais tout énervée qu'tu dises ça. J'te connais plus maintenant tout en t'comprenant. J'me demande si t'es aussi pressé qu'moi. Je l'sé pas pourquoi j'suis pressée, non, tu prends ou tu laisses, mais je l'sé pas plus que toé. Des fois j'ai l'impression d'un fil, une ferrante dans ma bouche, comme un collet pour les lièvres, t'sé ? Des grands grands bouts j'sé plus pis j'ai mal au ventre. Si tu pouvais m'comprendre, aussi, tout irait ben mieux. C'est tellement gros. J'pense à toé. J'suis tannée. Ben tannée. Comprends-tu d'quoi j'parle ?

Sainte-Marcelline – Sainte-Élisabeth
février 1991 – juin 1993

## *L'amoureuse de* Phèdre

Jules de L'Enfer-Haché, le célèbre metteur en scène, monte *Phèdre* (vous savez, cinq actes, le truc de Racine, réintroduction de la fatalité dans la tragédie grecque). Tristan Gentilhomme-Mort-Né, le célèbre comédien, joue le rôle d'Hippolyte (l'amoureux intègre, injustement accusé de trahison par cette salope de Phèdre).

Au cours de la pénultième représentation, Gentilhomme-Mort-Né aperçoit une toute jeune fille, au quinzième rang, dans le siège le plus près de l'allée. Elle est postée en équilibre sur le bout de son fauteuil, littéralement accrochée à ses lèvres comme une sangsue au mollet d'un pêcheur de moules.

Gentilhomme-Mort-Né, dans la peau de maints personnages, a connu ça à plusieurs reprises – c'est un comédien talentueux –, mais cette fois, sans véritable raison (ou peut-être : c'est un soir un peu gris, une énième représentation), il laisse son regard s'attarder sur la jeune fille, puis, petit à petit, il parle dans sa direction, vers elle, et finalement, il en vient à jouer strictement pour elle. D'instinct, il devine que tout à l'heure, quand viendra le temps de saluer, il ne se retirera pas, il la regardera, elle, dans les yeux, et le rideau restera ouvert un moment de plus, et cet ultime salut sera pour lui le point culminant de cette représentation-ci : son cadeau.

Il y a le jeu de la pièce, il y a le jeu pour la jeune fille du quinzième rang, et il y a le monologue intérieur du comédien.

Alors que l'audacieuse mise en scène de Jules de L'Enfer-Haché faisait de lui un Hippolyte froid et dur, un Hippolyte glacial et sidéral, comme on n'en avait jamais vu, voilà que cet Hippolyte-là se détend au fur et à mesure, s'éjecte lui-même de son rôle pour de plain-pied entrer dans sa propre peau métissée par le jeu. C'est fascinant. L'interprétation de Tristan Gentilhomme-Mort-Né s'élève alors au-dessus de lui. Il devient un Grec éperdu d'amour pour une spectatrice assurément mineure ; un Hippolyte qui pleure.

Bill Walter-Coles-Whisky, le célèbre producteur de Broadway *off off,* est justement dans la salle, assis au fond, incognito, peinard, un peu gelé. Il est résolument étonné par cette singulière interprétation, par les larmes surtout, c'est baroque, les larmes. Consciencieux et prudent, Walter-Coles-Whisky barbouille quelques notes sur une feuille de calepin, et quelques autres sur la feuille suivante, mais c'est seulement pour la forme : il ne croit pas avoir à s'en servir. Par contre, si jamais une perle véritable se dissimulait ici, il saurait aviser, relire ses notes, évaluer tout ça à tête reposée.

Hippolyte sait que la jeune fille du quinzième rang le regarde et avale chacune de ses paroles. Il voit parfois ses lèvres bouger. Il est persuadé qu'elle soliloque, emportée par la qualité de son jeu et par l'hommage évident qu'il lui rend en jouant exclusivement pour elle. Il est persuadé qu'elle sait qu'il joue exclusivement pour elle, et ça le motive beaucoup, ça influence sa concentration et sa prestation. Il y a long-temps qu'il ne s'était senti aussi inspiré sur les planches, dans l'instant du jeu. Il commence à l'aimer d'amour, cette enfant. Il aurait besoin qu'elle soit là, demain, à la dernière représentation.

En coulisses, Jules de L'Enfer-Haché est subjugué, puis outré, puis craintif, mais tout de même intrigué et pas loin d'être ravi, au fond de lui – une souplesse et une disponibilité qui l'honorent.

Gentilhomme-Mort-Né fixe *sa* spectatrice, la dévisage, n'incarne Hippolyte que pour elle, maintenant, et par défaut, en quelque sorte, puisque les mots désormais jaillissent de lui comme une récitation de la bouche d'un élève de quatrième secondaire : il n'est plus lui-même dans ces mots ; il les entend rebondir dans la salle comme des cailloux plats sur un plan d'eau peu profond. Il se sent très bien. Libre.

Mais.

Mais voilà qu'il commence à s'inquiéter, qu'il penche un peu la tête, qu'il essaie d'éviter la réverbération des projecteurs. Il espère qu'il a la berlue. Progressivement, sa voix perd de la portée.

La jeune fille bouge bien les lèvres, en effet, et en même temps que lui, de surcroît. Elle récite avec lui, cette petite, le devance même, quelquefois, en silence. Elle articule chacune des répliques. Elle joue *Phèdre*. Elle est Hippolyte. Elle est lui.

Tristan Gentilhomme-Mort-Né est tout retourné. Le nez lui pique. Il réprime de vraies larmes. Il cligne des yeux et se les frotte sans se dissimuler – ça, ce n'est vraiment pas dans le rôle ; dans les coulisses, Jules se les arrache. Gentilhomme-Mort-Né vérifie à nouveau.

Et ce qu'il voit lui fauche les jambes.

Une enfant est là, dans le quinzième rang, une enfant crée Hippolyte, donne une interprétation passionnée de son rôle à lui, rien que par les lèvres et les yeux, et pour lui seulement, semble-t-il.

La petite connaît cette pièce par cœur, et elle le foudroie, lui, sur les planches.

Alors, Gentilhomme-Mort-Né se tait.

Ses bras tombent le long de son corps.

Il ne bouge plus.

Le silence est lourd, dans la salle.

Les seules lèvres animées sont celles d'une jeune fille répétant de mémoire le rôle d'Hippolyte, comme si la pièce continuait sans les comédiens qui la jouent. Cette jeune fille, dans la quinzième rangée de fauteuils, crée seule une pièce pour un spectateur unique, sur la scène, qui désormais reste muet, et qui aura la décence, ce soir, de le demeurer. Il ne parlera plus, ce spectateur unique, Gentilhomme-Mort-Né ne prononcera plus un seul mot, ce soir.

Une Phèdre inquiète (incarnée par la très célèbre Clarysse Saupoudré-D'Anjou) quitte le fond de la scène et s'approche doucement, par-derrière, de Gentilhomme-Mort-Né. Elle semble humaine. Elle touche l'épaule d'Hippolyte qui bien entendu sursaute. Il se retourne et lève le bras, comme pour la frapper.

Sainte-Marcelline – Sainte-Élisabeth
juin 1991 – août 1993

## Quelque part..., rire

*Just don't argue any more.*

Suzanne VEGA,
*Luka.*

D e temps en temps. N'importe quand. Caprice. Jusqu'à son quatre et demie. Grimper. Vérifier nos présences. Toujours, parler, chicaner, rire. Quelque part, oui, rire, avant que de loin en loin le savoir qui pleure, ici ou sur l'autre rive.

\* \* \*

Il ne m'attend pas, bien qu'il soit là pour ça, pour moi, évidemment, et je puis demeurer sans importance grâce à ce qui n'existe pas. (Ne pas me demander de lui expliquer ceci.)

Quant au reste, il pourrait baisser les bras, jurer que la ferveur s'effrite, soupirer qu'il a déjà tant donné, alléguer qu'il ne saurait plus prendre l'erre d'aller, avouer qu'il chercherait longtemps la patience et le courage de remettre ça, craindre d'à nouveau, dans le réduit, les dénicher, admettre qu'une fois à cette tâche enferré, quand seule la relative

101

vérité vient à importer, nul ne se libère tout à fait, ne s'échappe pour le compte. Et puis, se douter de l'imminence de cette autre quête, dans les ronces, de l'inutilité de la défiance ou de la fuite, de notre funeste et décisive impuissance devant les inévitables et indéfendables gestes qu'il faut parvenir à oser. Et enfin, apprécier pour ce qu'elle persiste à être, ma condition à moi, près de lui – simple pause, si je veux, quand je veux, autant de fois que nous le désirons.

Tout ça, il pourrait. C'est certain. Question d'humanité. (Ou de faiblesse ? Il ne saurait dire.) Sauf que dès après, ou dans le même souffle, il pourrait admettre ignorer. Certes, il pourrait parfois confier qu'il ne saurait dire, et assumer qu'on ne peut rien pour l'autre, rien, sinon ramasser les lambeaux, quand on s'arrête et que des lambeaux gisent, comme par hasard, sous les doigts tordus de nos pieds. Il pourrait.

Alors, je consentirais, acquiescerais, pardonnerais, tirerais leçon, m'émouvrais de tant de certitude et d'incertitude, louerais la franchise, compatirais – sans doute, oui, avant l'aube, je trouverais le moyen de compatir –, s'il osait dire. (Je tenterais je ne sais quoi, aboierais, tendrais l'épaule, claquerais la porte, au besoin, si la vérité, ce soir-là, exigeait quelque fureur, du bruit. Et je trinquerais, bien sûr, avant et après la porte, avec et sans lui.) Et je saurais, par la suite, me satisfaire de ce que je saurais tu, me contenter dans l'absence du signe.

Mais voilà : importance de savoir taire, de savoir qu'on tait, d'avoir quelque chose à taire, de croire nos silences entendus.

Ses silences à lui sont pour demain, je crois, quand je n'y serai plus tout à fait, et moi je suis de la horde de ceux, sans doute, qui n'entendent pas, n'ont pas assez entendu, écouté – et s'en veulent, certes, s'en veulent.

Longue, longue haleine, l'écoute. Si longue.

Apprêter des moules ; consacrer sa vie à l'apprentissage et n'en pouvoir transmettre qu'une fraction ; renoncer à l'enseigner à quiconque ; renoncer à chercher la façon de dire ; juste abandonner quelque effluve, sur le comptoir, qu'un autre puisse respirer seul, et construire à son tour, s'il y pense, s'il le désire, s'il ressent, et si ça lui convient, à ce moment, de ressentir, s'il n'est pas déjà ailleurs, à débroussailler lui-même un sentier dont il ne pourra transmettre le parcours.

Et puis, longtemps après, remarquer les ustensiles sur la table de cuisine, les repères issus des canons des autres, les missiles dont les gerbes de feu, à l'impact, éclaboussent la nuit, les évidences, les balises, les strass de phosphore étendus à la hâte sur les poches de jute, qui nous offrent leurs pauvres lueurs et nous rappellent, tellement trop tard, que sur les rives d'une Seine, à l'extrémité du monde, les autres désormais comme des dingues se donnent, nous rappellent à nous-même, en somme, nous rappellent le fragile, juste là, sous la première peau.

L'ubac de la connaissance – même prétendue, même fausse, ou feinte –, c'est l'oubli, ou alors la tolérance, l'indulgence, surtout, et puis le refus et la mort, oui, la mort, c'est évident, mais davantage l'oubli, le si parfait oubli. Se taire et avaler sa route dans l'indifférence ou sous les quolibets. Dont les nôtres.

Il n'y a qu'à se taire.

\* \* \*

Il était ma pause à moi et s'il le fallait je l'aimais en mots, quoiqu'il y crût déjà trop. Qu'opposer au verbe par lequel mon pote jurait, jurera ? Rien. Rien de rien. Et faire mine de rien. Me précipiter en entier, à ses côtés, dans le rien, qu'au moins il m'y trouve.

Pas pour la pause que je voulais, même pas pour la pause que j'espérais, que je me taisais, babillais, que je persisterai à vouloir, à espérer, à me taire. Ni pour le repos. Ni même pour lui.

Toujours, c'est pour le lieu que j'espérerai et que je peinerai. Pour ce qui pourrait apparaître certains soirs, entre lui et moi, ou entre un autre et moi, plus tard. Tout tenter pour se rejoindre cette nuit afin que demain puisse librement naître derrière nous, s'il a à le faire – et ce n'est pas sûr, qu'il ait à le faire, ce n'est pas du tout certain qu'il faille apprendre à vivre avec l'hier et le demain.

Et puis, pour l'amitié aussi, bien sûr, il faut le spécifier, tout faire pour cette amitié qui déblaie la piste, qui permet l'envol. L'amitié. Impossible sans le flanc offert, inutile sans le flanc ouvert. L'amitié. Cette échappée du monde, une absence de laquelle on serait apaisé de croire que tout est dit, et qu'il s'agit de trouver une autre manière, la nôtre, ou qu'il y aura toujours l'avion, voyons, pas si loin que ça, l'Europe, on pourra toujours prendre l'avion.

Dans le cul. Non mais dans le cul.

Impérieux geste à commettre tout de suite, pendant que l'autre est à proximité. Ne pas se figurer que demain, la même orbite sera disponible. Accepter la mort et la naissance, précisément pour ce qu'elles assassinent, accepter le geste, son amorce, et le mouvement dans les entrailles, même en regard de ce qu'il détruit, accepter ce mouvement, à nos côtés, explosé de nulle part, de nous. Projeter les mains sur l'asphalte noir, tout de suite, au-delà de ce qu'on supporte d'apprendre sur l'amour et l'amitié, par-delà la violence de ces connaissances. Lancer immédiatement les mains dans l'espace, pour risquer de les joindre maintenant, loin au-dessus de nos têtes, dans ce lieu clair, infiniment plus élevé qu'elles.

Et agir, agir avant que la douleur ne s'estompe. Toucher la garce en vol pour au moins témoigner de son passage. Jamais, ne jamais consentir à s'installer dans son propre mal ; toujours se battre, ne jamais se faire à la douleur.

Et croire. À en cisailler les lettres qui s'infiltrent dans les interstices du vrai monde, mauvais ciment entre les épidermes, carton-pâte où s'empêtrent les âmes, croire.

Et nommer. Nommer ce qui gigote encore sur le tarmac. Saisir chacun des mots et serrer ses sens. Le tordeur, pour chacun des mots, jusqu'à leur terme. Nous, debout sur la potence, le visage affalé dans les nervures du ciel, les rides enfin étalées dans le couchant, et le jus des mots, dans nos mains. Faire monter sur le gibet une autre grappe, et tordre encore, tordre jusqu'à notre fatigue infâme. Couvrir ses paumes de cals pour la furtive naissance qui fera battre une nuit durant, au terme d'un jour dit. N'importe quel jour dit. Quand le caprice de vérifier s'éploiera de nouveau dans toute sa langueur, aussi pressant qu'à l'instant comblé, aussi futile qu'à jamais latent. Empoigner son propre torse à deux mains, de part et d'autre de la béance qu'un adieu y crée, et écarter nos lèvres en tendant fort les bras, en nommant chacun de nos pores. Ne pas hésiter à périr une centième fois d'un caprice, comme d'une centième injection d'encre dans le cœur, en pensant que les mots, pour un court moment, signifient encore.

Ne surtout pas hésiter.

\* \* \*

Il y avait lui et moi, quelque part dans le temps qu'on riait, et ç'aurait pu être une femme cet homme, et ç'aurait pu être un homme cet homme, l'amitié seule importe, ici, et personne n'a le droit de se douter de l'insupportable insignifiance de nos vieilles nécessités. Personne, même pas ceux qui savent lire. Et même pas ceux que nous serons. Personne, surtout pas lui. Il devait partir, nous déchirer, pour un peu plus avant pousser cette carcasse, pour voir, pour rien. Et pour revenir. Revenir alors que, bien sûr, lui et moi allions être autres.

\* \* \*

Regards, en terminant, sur le caractère ignoble des mots assemblés pour tromper la douleur. De loin, on pourra croire qu'ils parviennent à la circonscrire ou à l'atténuer, on sera tenté de s'appuyer sur eux ou sur ce que d'autres auront pu arracher aux ténèbres grâce à eux, mais il n'en est rien ; il n'en sera jamais ainsi, nous avons tort. Leurre. L'encre est noire, et tout, toujours à recommencer.

On croira avoir su dire, mais une fois la plaie bien étalée sur une feuille morte, une fois l'histoire larguée dans la cour, il restera les nuits, la barre dans le ventre, le vide, la réalité d'une absence qui plaque au mur. Une fois le nuage tissé serré (assez pour y flotter un moment, assez pour jeter à la figure du monde l'illusion qu'on s'en tire), une fois les bons mots choisis et alignés (assez bien alignés pour sauver la face, assez pour feindre quelque maturité devant les saloperies de l'existence, les Choses de la vie, assez pour imaginer qu'au bout de la course, le rêve saisit vraiment le témoin), il restera la petite tête d'épingle vulnérable qu'on ne cessera d'être et les coups de pilon au cœur qu'on ne cessera en chœur, chacun pour soi, de lui infliger.

Le profondément ignoble, c'est qu'il soit possible d'imaginer qu'un rempart de mots suffira pour l'amour, pour l'amitié, pour tout le reste, et que ce rempart se dressera réellement entre nous et l'abîme, nous protégera, nous pansera, muera notre douleur en denrée comestible, fera que d'autres pourront déjouer au moins celle-là, lors même qu'en vérité, ce rempart minera les sols, accélérera notre chute et la leur, précipitera le glissement de terrain, son poids emportant nos châteaux, et peut-être ceux d'innocents qui ne demandaient qu'à fixer la mer, qui du promontoire auront posé leur regard sur le vide, qui auront été rassurés, envahis, arrachés à leur égarement, leur solitude, ou plus simplement emportés dans un univers qu'ils n'auront pas eu à inventer. Le mot : le dard du générique de fin, le cimeterre que d'aucuns diront si beau, si brillant, au moment où il perce leur chair.

L'encre est noire. Noire, mon Dieu.

Et la douleur, une fois qu'on a tout donné, n'est que plus oppressante.

Alors, quelque part, oui, quelque part..., rire.

Mirabel – Sainte-Élisabeth
septembre 1990 – mai 1993

# Portrait sportif d'un auteur qui l'était peu, en somme

> On pouvait demander cela, au moins, aux rapports
> humains. Il suffisait d'être quelques-uns à repousser
> le néant et la mort, pour les tenir à bout de bras, par
> la parodie, par le burlesque, par la dérision, par l'hu-
> mour, par l'alcool, par ces sortes de graffiti barbouil-
> lés sur tout ce qui nous menace et nous terrifie pour
> le rendre méconnaissable
>
> Romain GARY,
> *Les clowns lyriques.*

> C'est à l'autre, à Borges, que les choses arrivent. Moi,
> je marche dans Buenos Aires, je m'attarde peut-être
> machinalement, pour regarder la voûte d'un vestibule
> et la grille d'un patio. [...] Il y a des années, j'ai essayé
> de me libérer de lui et j'ai passé des mythologies de
> banlieue aux jeux avec le temps et avec l'infini, mais
> maintenant ces jeux appartiennent à Borges et il fau-
> dra que j'imagine autre chose. De cette façon, ma vie
> est une fuite où je perds tout et où tout va à l'oubli ou
> à l'autre.
> Je ne sais pas lequel des deux écrit cette page.
>
> Jorge Luis BORGES,
> *L'auteur et autres textes.*

L e type dont nous parlons a été nommé personnalité sportive de la polyvalente de Saint-Léonard-d'Aston en 1977-1978, dans une large mesure parce qu'à la pointe de mai, au bris d'égalité et à la finale du simple messieurs, au tennis, cette année-là, il a de justesse et par un admirable coup brossé fait taire Abdou-le-téméraire, son gouailleur et non moins talentueux copain – qui visait lui-même les lignes comme un député et qui gère désormais un petit bar parfaitement convenable, un trou comme on les aime, des deux-pour-un en hommage à tous les saints du calendrier, le *Monaco*.

Le type a joué au quart-arrière jusqu'au pré-camp des Alouettes de Montréal, là où un secondeur extérieur floridien, velu et pour tout dire monstrueux qui effaçait le quarante verges en 4,6 et ne parlait pas un mot français l'a plaqué en face de certaines réalités qui lui avaient jusque-là échappé – la douleur lui tire encore des grimaces à la saison des pluies ; depuis le fatidique face-à-face, il se méfie des États-Unis d'Amérique. Il s'est néanmoins – pour cette gloriole toute rurale à laquelle le faraud s'est finement plié – laissé consacrer « Membre à vie, Broncos » par l'équipe de football de la polyvalente susnommée, ce qui l'inquiète assez : sa photo jaunit maintenant derrière quelque vitrine, pas très loin de celle d'un monseigneur, d'une première pelletée de terre et d'une flopée d'autres babioles figées qui lui fichent le cafard à chaque *conventum* auquel il ne va pas. Il a porté les couleurs d'équipes championnes provinciales au football scolaire et au basket-ball collégial. Il a été joueur-entraîneur de quatre ou sept équipes, entraîneur de huit ou dix et capitaine d'une douzaine d'autres, dont ces fabuleux *Kamikazes du Sud,* équipe de soccer formée de cultivateurs sans nom, championne de la Mauricie qui est une région, en 1983. Il a fait les Jeux du Québec en ski de fond et en badminton, et il s'est ramassé à une quinzaine de reprises devant d'impressionnants athlètes musculeux qui roulaient sous la table longtemps après lui, les salauds, non sans toutefois l'avoir élu *MVP* (soccer intérieur, flag-football, basket-ball), recrue de l'année (volley-ball, football, badminton, impro), joueur par excellence du tournoi (balle-molle, basket-ball, volley-ball, soccer, des tas de fois), et même, un soir intrigant logé comme un piton de rappel dans son impitoyable mémoire, « joueur le plus gentilhomme » (à la *snoutte),* nomination évidemment assortie du tombereau d'interrogations qu'une semblable consécration entraîne chez l'heureux élu quant à sa réelle contribution aux succès de l'équipe. Il s'est, bref, beaucoup donné. Il a ce faisant perdu des tas de trucs, eh : des tournois, des parties, des honneurs, dont le sien, un nombre incalculable d'amères défaites suivies de remises en question de décisions de *couch*, de bâtons fracturés, d'interventions auprès de coéquipiers qui s'engueulent, d'angoisses dont on n'a pas idée quand ceux qu'on cherche à vaincre, ce sont les autres, de bières, payées ou non par le dynamique *sponsor.*

Voilà. C'est à peu près tout, et tout ça c'est à peu près fini. Car ce type ne fait plus beaucoup de sport, si ce n'est une dizaine de kilomètres de course à pied, deux fois la semaine, lentement à cause de son dos, mais ce n'est pas du sport, ça. Il ne regrette cependant rien, n'allons surtout pas croire. Quelque part à l'ombre, il possède même une vieille boîte de patins Daoust de vingt kilos cinq cents remplie jusqu'aux lèvres de certificats, de trophées, de médailles plaquées or, argent et bronze qu'il projette de couler dans le béton du perron de sa première maison parce que ça rime. Maintenant il écrit, ou plutôt il se consacre à l'écriture, il s'efforce de

conjuguer au présent la plus-que-parfaite dérive et se prête
à des errances qu'il arrive parfois à pousser « à un degré à peu
près acceptable d'imperfection », dirait sans même sourciller
un indispensable de ses proches, un timbré, un ami. Le gars
se doute bien, cela dit, que tout ce qu'il consentira à publier
dans sa vie relèvera nécessairement de la tentative, de l'ex-
ploration et du risque envers lui-même (et pas un seul instant
de la provocation, qui n'est qu'une bourrasque nordique en-
traînée vers la mer, une brise juvénile qui écorche le voisin
pour lui faire avouer qu'il nous aime), sinon ça restera impu-
bliable parce que vain, hypocrite, navrant et vendable. Il se
prend le plus souvent au sérieux, c'est entendu, mais il se
soigne, et de temps à autre – même si les occasions se raré-
fient – il s'efforce d'adopter un ton qui fera croire à qui le
côtoie que ça va, que ça passe, qu'il prendrait bien un café,
ou peut-être une dernière bière, tiens, plutôt. Il est à peu près
conscient que se dévoiler ainsi, se mettre totalement en
cause, en jeu et en danger, se miser en entier, même s'il ne
reste que ça à faire dans ce bled, n'a parfois comme seul effet
perceptible que de fournir la poudre à qui cherche compul-
sivement à faire tonner les canons, mais voilà, le filigrane est
suffisamment clair, ici, lui semble-t-il : la chamaille pour la
*puck* ne le motive plus, rien du tout dans son corps, pas une
seule fraction d'un gramme d'adrénaline de plus dans son
beau sang bleuté à l'idée d'une quelconque compétition – et
son angoisse la plus patentée, du reste, c'est précisément
vaincre, vaincre, alors, s'efforçant de ne surtout pas le faire,
désormais, il ne peut guère plus perdre, le bougre est astu-
cieux, c'est bête comme un toit de tôle, finalement, tout à
fait simple, merde. Sans le moins du monde se composer,
il ne croit plus avoir quoi que ce soit à cacher, à prouver, à
défendre ; il essaie seulement d'amener au jour quelques-uns

des lieux susceptibles de naître entre les livres et les gens, il se bat fort maladroitement, c'est vrai, des rixes complètement débiles, des bagarres qui n'existent que dans les têtes folles sans mesure, c'est tout à fait exact, mais des bagarres nécessaires, cependant – c'est le mot qui lui vient en tête –, des bagarres qui de très très loin le dépassent et qu'il est sans doute possible de circonscrire, d'apaiser sans trop de heurts, d'accepter en tant qu'évidence, comme un brasier encerclé par la mer, comme une aube qui lentement enveloppe le monde, comme une lettre qui a trop tardé, ou comme un cil sur une lèvre d'enfant, c'est parfois si triste, l'évidence, comme un gars de Harley qui voit sa bécane passer à la mode, comme un troupeau de Holstein absolument immobile dans le coin sud d'un champ, devant un fil de broche électrique, sous l'orage, ou comme une rangée d'arbres très bien alignés, si bien taillés, tellement triste, enfin on voit le genre.

Et il offre si peu d'histoires, ce type, c'est certain qu'en cette fin de siècle, ça amène sa part de problèmes, mais dans son esprit les histoires relèvent des autres, apparaissent grâce à eux, alors fatalement, si toi et moi on y tient tant, à celles-là, c'est toi et moi qui chaque ligne devrons les tirer des limbes, les inventer ; on lui pardonnera peut-être un jour jusqu'à ses craintes, mais pour lui, l'histoire est en cavale, insaisissable, ciel variable, partie, pfuit.

Sainte-Marcelline – Sainte-Élisabeth
avril 1990 – septembre 1993

*La vérité simple de la fin, c'est que le reste continue sans vous ; à toutes fins utiles vous n'avez jamais existé. Mis à part quelques photos, nulle trace.*

*Dans les circonstances, forcément, ce n'est pas vous qu'on pleurera.*

René LAPIERRE,
*Reposoirs.*

# I

## *Quelques dièses de métal dans les flancs de l'amour*

# II

## *Objects in mirror are closer than they appear*

Titres en poche chez le même éditeur :

ACHEVÉ D'IMPRIMER
EN JANVIER 2009
SUR LES PRESSES DE MARQUIS IMPRIMEUR INC.
SUR PAPIER SILVA ENVIRO
100 % POSTCONSOMMATION